LE
SYMBOLE PERDU
DÉCRYPTÉ

SIMON COX

LE
SYMBOLE PERDU
DÉCRYPTÉ

Traduit de l'anglais par Pascal Loubet

DU MÊME AUTEUR

Le Da Vinci Code décrypté
Les Illuminati décryptés : Anges ou Démons ?

Nullius in Verba
Devise de la Royal Society
« Ne croire personne sur parole. »

AVANT-PROPOS

En avril 2009, je me suis rendu à la Foire du livre de Londres au centre d'exposition d'Earls Court. Je comptais y retrouver des amis et mes éditeurs, et jeter un œil aux nouveautés. Cependant, à peine arrivé, il se produisit quelque chose de remarquable. Une atmosphère d'excitation remplissait les allées, tout le monde souriait et quelques personnes étaient au bord des larmes.

Le nouveau Dan Brown venait d'être annoncé.

Ce moment marqua le commencement de cinq mois de préparation fébrile. Des indices et des clés allaient être livrés, des opinions s'exprimer et des spéculations effrénées allaient remplir des milliers de pages sur Internet. Cependant, revenons un peu en arrière, au moment de la publication du précédent livre de la série des Robert Langdon, le *Da Vinci Code* en 2003. À l'époque, Dan Brown avait déjà publié plusieurs romans à suspense, dont *Anges et Démons*. Ses ventes étaient médiocres quand son éditeur décida de parier sur le *Da Vinci Code*. Il envoya dix mille exemplaires gratuits aux libraires, acheteurs, critiques et professionnels du livre. La stratégie fonctionna et les commandes décollèrent.

À l'époque, j'étais le rédacteur en chef d'un magazine américain, *Phenomena*. Le *Da Vinci Code* faisait beaucoup de bruit dans le monde de la littérature historique alternative qui est le mien, et Brown puisait ses sources chez des auteurs que je connaissais bien. Finalement, je fus contacté par un petit éditeur qui me demanda si je voulais rédiger rapidement un guide du *Da Vinci Code*. C'est ainsi que *Le Code Da Vinci décrypté* parut, devenant à son tour un best-seller international. J'écrivis ensuite *Les Illuminati décryptés : Anges ou Démons ?*

Une chose m'intrigua plus particulièrement. Sur la jaquette de l'édition américaine brochée du *Da Vinci Code*, figuraient des indices semblant annoncer le prochain roman de Dan Brown. Le temps passa et des rumeurs commencèrent à circuler : un titre avait été choisi, *La Clé de Salomon*. Il faisait ainsi référence à un livre médiéval sur la magie qui portait le même titre, supposé avoir été écrit vers le XIVe ou le XVe siècle en Italie. Impatient, je menai des recherches sur ce manuscrit qui était censé trouver ses racines aux temps du légendaire roi d'Israël. Idéal pour un roman de Dan Brown, me dis-je. Un site Web fut inauguré et tout semblait prêt pour l'arrivée du prochain roman. Le temps passa encore et encore sans qu'il y ait la moindre nouvelle du livre. Il se disait dans le milieu de la presse et de l'édition que Dan Brown avait abandonné le projet, notamment suite aux poursuites judiciaires très médiatisées qu'il avait subies à Londres. On prétendit même que le film *Benjamin Gates et le Trésor des Templiers* s'était tellement inspiré de la substance du nouveau livre qu'il fallait tout réécrire. Aucune de ces rumeurs n'était fondée, mais elles enflaient sur les sites Internet.

Puis arriva la Foire du livre de Londres. J'avais prédit à mes éditeurs anglais deux mois plus tôt que l'annonce de la parution de la suite du *Da Vinci Code* y serait faite. J'avais dit cela plus par espoir, je le concède, mais je ne m'étais pas trompé.

Un communiqué de presse fut publié par les éditeurs de Dan Brown, et soudain, un nouveau titre apparut : *Le Symbole perdu*, en vente le 15 septembre 2009. Je retins mon souffle. Que pouvait signifier ce titre énigmatique ? Qu'est-ce qui était perdu ? De quel symbole s'agissait-il ? La course était lancée et je me précipitai dans les recherches. Ce que vous tenez entre les mains est le fruit de ce travail.

Très vite, un nouveau site Web apparut à l'adresse the-lostsymbol.com, mais rien n'y figura pendant un moment en dehors d'une page de présentation. Puis, surgis de nulle part, des liens apparurent vers le profil Facebook de Dan Brown et sa page sur Twitter. L'excitation laissa place à la fièvre quand des milliers de gens se mirent à suivre Brown du jour au lendemain sur les deux réseaux sociaux.

Lentement, mais sûrement, indices et bribes d'intrigue furent distillés sur ces réseaux. Je commençai à prendre fébrilement des notes et à entreprendre des recherches. Soudain, tout un nouvel univers s'ouvrait. Là où l'on n'avait eu à se mettre sous la dent que quelques rares allusions sur la jaquette du *Da Vinci Code* ou lors d'interviews, on était désormais inondé d'éléments bien tangibles. Certains de ces indices donnaient en fait des coordonnées de lieux. La route de Bimini était l'un d'eux. Cette structure sous-marine particulière au large de l'île de Bimini aux Bahamas est considérée par certains comme un édifice construit de la main de l'homme et un vestige de l'Atlantide. J'avais en fait passé deux étés là-bas quelques années plus tôt dans le cadre de recherches pour un livre que je préparais sur l'Atlantide. *Génial*, me dis-je, *j'ai de l'avance*. Parmi les autres lieux figurait la grande pyramide de Gizeh, dernière merveille du monde antique encore debout dont je connais tous les secrets – deuxième coup de chance. Puis il y eut les coordonnées de Newgrange en Irlande, un tombeau sur un tumulus monumental célèbre pour son alignement sur le soleil levant au solstice d'hiver quand un étroit rayon de lumière éclaire brièvement le sol de la chambre funéraire. Je venais de visiter le site avec l'écrivain franc-maçon Chris McClintock. Et de trois !

D'autres indices portaient sur d'éventuels adversaires et des sociétés secrètes. Chiffres, codes et cryptogrammes furent révélés. Des personnages historiques furent mentionnés. Le jeu effréné fut à celui qui décoderait le premier les indices. Des sites Web surgirent, examinant, certains de très près, l'histoire de certains des personnages, des lieux et des groupes mentionnés. La frénésie était alimentée par Internet.

Je me rappelai alors une chose. Aringarosa. Un personnage du *Da Vinci Code* dont le nom avait une signification secrète. *Aringa* signifie « hareng » en italien et *rossa* « rouge ». Dan Brown aimait nous jeter en pâture des harengs rouges, expression qui en anglais désigne les fausses pistes. Je commençai à voir les indices donnés sur Facebook et Twitter sous un nouveau jour. Et si je m'étais laissé berner ? C'est à ce moment que je cessai de consulter ces pages. Après tout, tout serait révélé le 15 septembre 2009.

Même la date de publication, nous disait-on, faisait partie du jeu. Je commençai à consulter des almanachs, des livres d'histoire, des sites Web, des blogs de partisans de la théorie du complot : rien. C'est alors que la lumière se fit : 15/09/09 – la somme des nombres donnait 33. J'en déduisis que les francs-maçons, et notamment ceux de rite écossais, tiendraient un rôle important dans le roman – ce que laissait déjà sous-entendre la jaquette du *Da Vinci Code* des années auparavant.

Puis, avant que j'aie eu le temps de souffler, le jour de la sortie arriva. Serrant *Le Symbole perdu* dans mes mains tremblantes, je commençai avidement ma lecture. Une douzaine d'heures plus tard, j'avais terminé et j'eus la confirmation qu'un très grand nombre des indices donnés en pâture sur Twitter et Facebook n'étaient là que pour nous fourvoyer. Il n'y était pas question de l'affaire Morgan, d'Aaron Burr ni de William Wirt (pas même de l'étrange histoire avec son crâne). Aucune mention des Chevaliers du Cercle d'or, d'Albert Pike, de Benedict Arnold, d'or confédéré, du complot de Babington, d'Alexander Hamilton et des origines de la Bourse de New York, des Fils de la Liberté, de Roanoke et des premiers colons, de Robert Hanssen ou de Checkpoint Charlie à Berlin...

Tous ces personnages, ces lieux et ces groupes avaient pourtant figuré parmi les indices, et pas un ne se trouve dans le livre. Astucieusement, il n'y a pas non plus de *Clé de Salomon*. Mais nous avons bien une famille Solomon, qui détient les clés du mystère. Inutile de préciser que ni Bimini ni Newgrange ne s'intègrent à l'intrigue ; on y retrouve toutefois la grande pyramide, quoique pas dans le contexte auquel on s'attendait. Dan Brown et ses éditeurs nous ont eus. Ils ont réussi à garder bien cachée l'intrigue du *Symbole perdu* jusqu'au jour de sa sortie (bien que quelques quotidiens américains aient publié leurs critiques la veille de la parution pour défier l'embargo). C'est un exploit. Plus de cinq millions d'exemplaires imprimés et pas la moindre fuite, pas même un exemplaire proposé en catimini sur un site d'enchères. Dan Brown est parvenu à détourner l'attention de la véritable intrigue en occupant tout le monde avec des thématiques qui n'étaient au mieux que marginales dans son roman. Cette entreprise incroyable garantit une immense couverture médiatique et toute l'attention du public le jour de la sortie de son livre.

Qu'avons-nous donc au final ? *Le Symbole perdu* est-il une suite digne d'*Anges et Démons* et du *Da Vinci Code* ?

Le Symbole perdu se révèle un excellent thriller, dont l'intrigue ne laisse aucun répit à Robert Langdon et s'appuie sur de grands thèmes et des énigmes historiques. Cependant, ce sont les éléments plus profonds et occultes du livre qui auront pour moi le plus d'impact avec le temps. Dan Brown a tenté d'écrire entre les lignes de son roman quelque chose qui n'est pas sans rappeler le texte hermétique. C'est une entreprise audacieuse à laquelle je tire mon chapeau. En vérité, les dix derniers chapitres du livre et l'épilogue sont plus ou moins un traité sur le déisme, la pensée hermétique et la tolérance religieuse.

Au cœur du *Symbole perdu*, il y a inévitablement une société secrète : la franc-maçonnerie. Il y a ceux qui la tiennent pour un organisme impénétrable, aux intentions sinistres, blasphématoires et avides de pouvoir. Je ne suis pas franc-maçon, mais j'en connais beaucoup et je me suis appuyé sur les connaissances de deux « frères », Ian Robertson et mon ami Chris McClintock, auteur de *Sun of God*, une série de livres à paraître sur les origines de la franc-maçonnerie. Ni l'un ni l'autre ne sont des gens malveillants, pas plus que les nombreux francs-maçons que je connais et respecte. J'apprécie la position adoptée par Dan Brown sur la franc-maçonnerie dans *Le Symbole perdu*. Nombre de spéculateurs croyaient que les maçons joueraient le rôle des « méchants » : ce n'est pas le cas, et Brown plaide efficacement pour la franc-maçonnerie en la présentant comme un mouvement éclairé et tolérant où jaillissent des idées intéressantes et progressistes.

Si l'on se doit d'admettre que la franc-maçonnerie est une société discrète, elle n'est en aucun cas secrète. Il est facile de se renseigner sur le sujet, et la plupart de ses membres ne font pas mystère de leur appartenance. Depuis ses balbutiements vers la fin du XVIIIᵉ siècle, la franc-maçonnerie recrutait traditionnellement ses membres dans des classes sociales élevées, mais elle s'est ouverte au fil du temps et j'espère que cette tendance se poursuivra.

Nombre des personnages mentionnés dans ce livre, bien que n'étant pas francs-maçons (Pierre L'Enfant, par exemple) ou dont l'appartenance à la franc-maçonnerie n'est pas attestée, auraient cependant été intimement familiers de cette société et de son fonctionnement. Leurs contemporains et pairs en auraient été membres et l'ordre était alors présent partout. Il semble probable, par exemple, que Thomas Jefferson, même si nous n'avons aucune preuve directe de sa participation à une loge maçonnique, avait effectivement des sympathies pour les idéaux maçonniques de fraternité, d'illumination et de tolérance religieuse.

Comme mes précédents guides sur les livres de Dan Brown, celui-ci se présente sous la forme d'un index alphabétique facile à aborder. Il comprend une soixantaine d'articles, moins que dans les précédents, mais c'est une décision délibérée. J'ai voulu ici vous offrir un aperçu plus approfondi de certains des thèmes, des lieux, des personnes et des groupes présentés dans le roman. J'espère y être parvenu.

La BBC m'a un jour qualifié d'« historien de l'obscur », titre que j'apprécie particulièrement. J'ai eu pour objectif avec ce livre de vous dévoiler quelques facettes de l'histoire de l'obscur et des sujets cachés. Si vous éprouvez le besoin d'en savoir davantage et de vous plonger dans les sujets évoqués ici, jetez un coup d'œil à la bibliographie et commencez à vous constituer votre propre bibliothèque sur l'ésotérisme. C'est une occupation prenante, mais aussi très gratifiante – à laquelle j'espère que vous serez nombreux à vous livrer.

Si vous désirez discuter et débattre des sujets abordés dans ce livre ou dans le roman lui-même, rendez-vous sur mon site Web, www.decodingthelostsymbol.com, où vous trouverez un forum, des articles et des blogs sur nombre des sujets figurant dans ces pages. Si vous souhaitez me contacter directement pour parler de ces questions, je possède un profil Facebook et un autre sur Twitter (@FindSimonCox).

La rédaction de cet ouvrage m'a permis de renouer avec les Pères fondateurs des États-Unis et la fin du XVIIIe siècle, une période particulièrement féconde. J'espère que vous apprécierez *Le Symbole perdu décrypté* et trouverez son contenu aussi intéressant qu'édifiant. Je vous le transmets dans l'espoir que vous aurez autant de plaisir à le lire que j'en ai eu à l'écrire.

Simon Cox
Septembre 2009

ABADDON

L'un des pseudonymes utilisés par le personnage de Mal'akh dans *Le Symbole perdu* est celui de Dr Christopher Abaddon. Ce nom est un choix intéressant, car il réunit en une seule personne le Christ et le démon Abaddon.

Selon la tradition hébraïque, Abaddon signifie à la fois « périr », « lieu de destruction » et « destructeur ». Dans l'Apocalypse de saint Jean (9 :11), Abaddon est le roi des sauterelles et l'ange de l'abîme sans fond. Il y est dit qu'il a envoyé ses sauterelles au moment où a sonné la cinquième trompette. À cet instant est tombée du ciel une étoile, dépositaire de la clef du puits de l'abîme. Une fois l'abîme ouvert, une épaisse fumée s'en échappe, suivie des sauterelles menées par Abaddon. Celles-ci sont d'une espèce extraordinaire, ressemblant à un animal hybride, avec des cheveux de femme, des dents de lion et une queue de scorpion, entre autres étranges attributs. En grec, Abaddon s'appelle Apollyon, ce qui signifie « le destructeur ». On l'associe à la mort et à l'enfer dans les écrits rabbiniques, et dans l'Ancien Testament Abaddon est utilisé comme un nom poétique pour le royaume des morts ou l'Enfer (voir Job, 26 :6). De ce fait Abaddon désigne tantôt un individu, comme nous le voyons dans l'Apocalypse, tantôt un lieu de mort et de destruction. Dans les Manuscrits de la mer Morte, Abaddon est mentionné dans le contexte d'un lieu appelé « le Sheol d'Abaddon ». En d'autres termes, le mot est synonyme de « royaume souterrain des morts ».

L'église copte évoque Abbaton, l'ange de la mort. Dans certains écrits coptes, il est clair qu'Abaddon/Abbaton est dans les faits une sorte de négatif de Jésus-Christ. En effet, l'Apocalypse de Bartholomé cite Abbaton, témoin dans le tombeau de la résurrection du Christ.

Fait intéressant, nous trouvons des échos de la nature du personnage de Christopher Abaddon/Mal'akh quand nous examinons de plus près les légendes coptes associées à ce démon. Il y est dit que tout homme qui l'aura vénéré aura une possibilité de rédemption à la fin des temps et le personnage d'Abbaton joue un rôle important dans le scénario du Jugement dernier. À cet égard, Abbadon peut presque être tenu pour la figure de l'Antéchrist, ce qui s'accorde parfaitement avec le personnage dans le livre. Face à ceux qui recherchent la connaissance et l'illumination, Mal'akh/Christopher Abaddon s'acharne à empêcher que les découvertes de la science noétique se répandent dans le monde et espère que la franc-maçonnerie sera discréditée et considérée comme une plaie. C'est l'antithèse de son père.

Le nom Abaddon a été abondamment utilisé dans la culture populaire moderne. Même l'auteur de *Harry Potter*, J.K. Rowling, a créé un personnage portant la version grecque du nom, Apollyon, ancien concierge du collège de Poudlard chargé de punir les étudiants.

AKEDAH

Dans *Le Symbole perdu*, Mal'akh brandit une arme ancienne au sombre passé, nommée couteau Akedah. Non content de doter le méchant de son roman d'un couteau antique, Dan Brown nous précise qu'il s'agit du couteau le plus célèbre du monde.

Dans le roman, nous apprenons que Mal'akh a dépensé une grande partie de sa fortune pour obtenir cette arme légendaire, façonnée dans du fer météoritique il y a trois mille ans. Il s'agirait du couteau brandi par Abraham dans la Genèse pour sacrifier son fils Isaac sur ordre de Dieu. Nous apprenons également que cette lame a une longue et illustre histoire, passant par les mains des nazis, des papes ou des alchimistes européens, entre autres.

À la fin du *Symbole perdu*, Mal'akh dépose l'Akedah dans la main de son père, Peter Solomon, et tente de le forcer à tuer le fils dont il a été séparé. Fait intéressant à noter ici : Mal'akh place l'Akedah dans la main gauche de Peter Solomon, la seule qui lui reste. Nous apprenons que « la main gauche sert les ténèbres » et que la main droite de Peter Solomon a été tranchée précisément en prévision de cet instant précis : tout simplement, il n'a d'autre choix que de se servir de la gauche pour se saisir du couteau. Si Peter Solomon doit accomplir ce meurtre rituel de la main gauche, du moins selon les convictions de Mal'akh, le sacrifice sera parfait et Mal'akh obtiendra sa place de démon dans l'au-delà.

En outre, comme la scène se déroule sur un autel de granit dans la Maison du Temple, aucun doute ne subsiste pour nous : il s'agit de la reproduction de la légendaire tentative de sacrifice d'Isaac par son père Abraham.

C'est dans l'Ancien Testament (Genèse 22 :2), que nous trouvons l'histoire intitulée l'« Akedah », ou « Sacrifice d'Isaac ». Nous savons dès le début que Dieu met Abraham à l'épreuve et lui dit : « Prends ton fils, l'unique, celui que tu aimes, Isaac ; va-t'en au pays de Morija, et là offre-le en holocauste sur l'une des montagnes que je t'indiquerai. »

Abraham part de bon matin, suivant les instructions de Dieu. Il emmène deux jeunes hommes et son fils Isaac vers le mont Moriah. Trois jours plus tard, arrivé au sommet, Abraham attache son fils à un autel et s'apprête à le sacrifier lorsqu'un ange apparaît et l'implore de suspendre son geste : il a surmonté l'épreuve que Dieu lui a infligée. Isaac est donc épargné, et Abraham sacrifie un bélier à sa place.

Cette histoire s'insère parfaitement dans *Le Symbole perdu* parce que Mal'akh doit son nom et son identité à Moloch, divinité cananéenne qui apparaît aussi dans *Le Paradis perdu* de John Milton, poème épique racontant la chute de l'homme, sous les traits d'un ange déchu. Nous voyons la relation entre Moloch et le sacrifice dans ces vers :

« Le premier est Moloch, horrible roi souillé du sang
Des victimes humaines et des larmes paternelles. »

On trouve aussi des références à Moloch dans les textes bibliques qui relient cette divinité aux sacrifices humains. Dans le Lévitique (18 :21), nous trouvons le passage suivant : « Tu ne livreras aucun de tes enfants à Moloch, et tu ne profaneras point le nom de ton Dieu. »

Dan Brown a réuni tous ces éléments dans son roman : la scène cruciale dans la Maison du Temple est chargée de références historiques et de symbolisme sacrificiel. Non seulement nous avons Mal'akh, modelé sur Moloch, divinité à laquelle les peuples sémitiques sacrifiaient souvent leurs enfants, mais nous le voyons brandir le couteau d'Abraham. En outre, il demande à son père de le sacrifier, et ce auprès de l'autel d'un temple sacré. Quand Dan Brown écrit qu'une fois de plus cette lame va servir à un sacrifice rituel pour laquelle elle a été forgée, nous voyons avec quelle habileté il a réuni tous ces éléments et ces références pour donner un impact maximum à ce moment crucial.

Autre point intrigant : le fait que Mal'akh s'offre lui-même comme victime du sacrifice, thème courant dans le monde antique. De nombreuses civilisations pratiquaient le sacrifice, et souvent les victimes s'offraient non seulement volontairement mais avec joie : s'offrir en sacrifice semble avoir été une grande question d'honneur et de révérence..

Pour nombre d'exégètes, quand Isaac était attaché sur l'autel, il n'était plus un enfant. Au contraire, diverses sources affirment qu'il avait entre vingt-cinq et trente-sept ans et aurait donc parfaitement pu résister à son père s'il l'avait voulu. Flavius Josèphe, historien juif du Ier siècle, y fait allusion et dans son *Antiquités juives* déclare qu'Isaac réagit avec équanimité en apprenant qu'il allait être sacrifié :

« Isaac était d'une si généreuse disposition, comme il sied au fils d'un tel père, et fut si heureux de ce discours qu'il répondit "qu'il n'était d'abord pas digne d'être né, s'il devait refuser la détermination de Dieu et de son père et qu'il se résignerait volontiers à leur bon plaisir à tous deux ; car il aurait été injuste qu'il n'obéisse point, même si son père seul en avait ainsi décidé". Aussi alla-t-il aussitôt à l'autel pour y être sacrifié. »

L'Akedah est sans aucun doute l'un des épisodes les plus controversés de la Genèse et le débat fait toujours rage au sujet non seulement des motivations de Dieu mais aussi de celles d'Abraham et d'Isaac. En ordonnant à Abraham de tuer son fils bien-aimé – fils qui ne naquit qu'au prix de grandes souffrances de l'épouse d'Abraham, Sarah –, Dieu met à l'épreuve les limites absolues de la foi d'un homme. Cette épreuve apparaît comme l'acte de foi ultime dans toutes les religions monothéistes, et même dans l'islam – à ceci près que, d'après la tradition musulmane, le sacrifié serait Ismaël et non Isaac.

Le lieu de l'Akedah a également une signification particulière dans le roman. Cette scène se déroule sur le mont Moriah, et cette montagne sacrée – celle du Seigneur, dans la Genèse – se trouve être le lieu où le Temple de Salomon fut édifié par la suite. Il vaut la peine de préciser ici que non seulement le Temple de Salomon est d'une importance fondamentale pour la franc-maçonnerie, mais qu'il a également servi de modèle pour le Capitole de Washington.

Dans *Le Symbole perdu*, Dan Brown insiste sur un point étonnant : l'origine du couteau qu'Abraham brandit devant son fils ligoté. Il est dit qu'il a été forgé avec le fer d'une météorite qui se serait écrasée dans le désert de Canaan il y a très longtemps. Bien que ce détail ne figure pas dans la Genèse, il ne s'agit pas d'une invention complète.

Il est bien connu que les peuples du Moyen-Orient fabriquaient des couteaux sacrés et des armes résistantes avec le fer provenant de météorites. Ce matériau était hautement prisé, non seulement parce que c'était une source de fer forgeable mais aussi parce que les météorites étaient alors considérées comme des produits de la foudre, probablement en raison de l'observation du phénomène de la chute de tels objets sur la terre. Une arme forgée dans de la foudre ne pouvait être que dotée d'une puissance inouïe.

G. A. Wainwright, dans un passionnant article intitulé « Le fer en Égypte », rapporte que de nombreux peuples antiques appelaient cette forme de fer venu des cieux « fer de foudre ». Il donne également un exemple de l'usage de telles armes, en citant l'histoire d'Antar, guerrier et poète arabe pré-islamique, entré en possession d'une épée nommée Dhami :

« En découvrant que la pierre était de foudre, l'homme la donna à un forgeron afin qu'il en fabrique une épée. En deux occasions, un unique coup de cette épée sur-

22

naturelle fendit ensemble une armure et un cheval "si bien qu'ils tombèrent en quatre morceaux". En une autre occasion, elle fendit un guerrier "de la tête à la ceinture". Ces armes magiques étaient naturellement très recherchées en Orient. »

Le dieu égyptien Horus lui-même était doté d'une lame forgée dans ce fer lors de son légendaire affrontement avec le dieu Seth, qu'il vainc pour venger la mort de son père Osiris.

Outre sa robustesse, ce fer météoritique possède également une profonde signification religieuse. Il existait dans l'Égypte antique un rituel connu sous le nom de « l'ouverture de la bouche ». Il était exécuté sur le pharaon défunt et une herminette en fer servait à forcer l'ouverture de la bouche. Ces couteaux sacrés avaient des lames forgées dans du fer météorite que les Égyptiens appelaient *bja*. En harmonie avec l'origine céleste de la lame, les poignées de ces couteaux avaient la forme de la constellation de la Grande Ourse, nommée aussi Grand Chariot.

Ces lames de fer météoritiques avaient des propriétés extraordinaires aux yeux des prêtres antiques pour une raison très claire : elles seules permettaient d'ouvrir la bouche des défunts lors d'un rituel religieux parce qu'elles provenaient de la foudre. Quelle meilleure manière de forcer physiquement et métaphoriquement l'ouverture de la bouche des morts ?

Les Égyptiens croyaient également que la voûte céleste elle-même était constituée de *bja*. À leur mort, les membres des défunts se transformaient en *bja*. Le mot « *bja* » signifiait aussi « miracle » et exprimait l'action de « partir ».

À partir de là, nous commençons à comprendre que le fer tombé sur Terre était considéré comme un fragment du Ciel, rien moins que cela.

Plus tard, les musulmans développèrent la croyance selon laquelle les anges d'Allah utilisaient les météorites pour chasser Satan et combattre les djinns. Avec l'apparition de concepts aussi forts, rien d'étonnant à ce que les couteaux et les armes forgés dans ce matériau soient considérés comme divins, fragments de foudre que des mains mortelles pouvaient brandir.

En réunissant toute cette mémoire, nous voyons pourquoi un personnage tel que Mal'akh utilise un couteau forgé dans du fer météorite : aucune arme n'est plus puissante. Abraham lui aussi aurait été conscient de l'importance d'un tel couteau, mais nous ne saurons probablement jamais s'il utilisa une telle arme lors de l'Akedah.

VOIR ÉGALEMENT : Temple de Salomon.

ALCHIMIE

Dans *Le Symbole perdu*, Dan Brown rassemble différentes traditions qui appartiennent à la catégorie Mystères occidentaux ou Tradition ésotérique. Sont mentionnées dans le roman la Grande Bibliothèque d'Alexandrie, les civilisations antiques d'Égypte, de Rome et de Grèce, ainsi que les écoles de mystère comme la kabbale, l'hermétisme, les mystiques rosicruciens, le tarot et la franc-maçonnerie. L'alchimie est sans conteste la plus importante puisqu'elle les a toutes influencées. On l'a baptisée « philosophie éternelle ». Elle est au cœur des mystères occidentaux et imprègne toutes les cultures d'une manière ou d'une autre à travers sa symbolique raffinée.

Ses origines se perdent dans la nuit des temps. Elle était connue et pratiquée par les Égyptiens et les Chinois dans l'Antiquité. Le mot alchimie provient de l'arabe *al* – « pays noir », l'un des anciens noms de l'Égypte. La couleur noire rappelle la terre fertile du delta du Nil enrichie par les alluvions des crues annuelles. C'est cette étymologie qui vaut à l'alchimie son surnom de magie noire. Et d'elle descend la chimie moderne, bien que ce terme n'apparaisse pas avant le XVIIe siècle. Robert Boyle, alchimiste et ami d'Isaac Newton, écrivit en 1661 *Le Chymiste Sceptique*, le premier traité de chimie.

Dans *Le Symbole perdu*, le professeur Robert Langdon déclare que, dans ses lettres à Boyle, Newton l'avertit que le savoir mystique qu'ils étudient ne pourrait être propagé sans conséquences dangereuses.

Il existe de nombreuses légendes racontant les origines de l'alchimie. Le dieu égyptien Thot est souvent considéré comme son fondateur. Il est décrit comme « l'homme-dieu » qui a apporté la religion et le savoir à l'Égypte et a inventé l'écriture, les mathématiques, la musique, l'astronomie, l'architecture et la médecine. Les similitudes entre Thot, Hermès et Mercure, à la fois gardiens du savoir et intermédiaires entre le Ciel et la Terre dans leurs civilisations respectives (Égypte, Grèce et Rome) ont collectivement façonné le personnage connu sous le nom d'Hermès Trismégiste, père de l'alchimie.

C'est Hermès Trismégiste qui donne son nom à l'« hermétisme », d'abord à travers un ensemble de textes hellénistiques, le *Corpus Hermeticum*. Ces textes furent répandus à l'apogée de la civilisation alexandrine et connurent un nouvel essor durant la Renaissance, où ils constituèrent une lecture essentielle pendant le regain d'intérêt pour l'ésotérisme et l'occulte.

Selon la légende, Hermès Trismégiste fabriqua une table d'émeraude fabuleuse, réputée receler les secrets de la création. Sir Isaac Newton en fit une traduction vers 1680.

« Il est vrai, sans mensonge, certain, et très véritable. Ce qui est en bas, est comme ce qui est en haut : et ce qui est en haut est comme ce qui est en bas, pour faire les miracles d'une seule chose. Et comme toutes les choses ont été, et sont venues d'un, par la méditation d'un : ainsi toutes les choses sont nées de cette chose unique, par adaptation. Le soleil en est le père, la lune est sa mère, le vent l'a porté dans son ventre ; la terre est sa nourrice. Le père de tout le *telesme* de tout le monde est ici. Sa force ou sa puissance est entière, si elle est convertie en terre. Tu auras par ce moyen la gloire de tout le monde ; et pour cela toute obscurité s'enfuira de toi. C'est la force forte de toute force : car elle vaincra toute chose subtile, et pénétrera toute chose solide. Ainsi le monde a été créé. De ceci seront et sortiront d'admirables adaptations, desquelles le moyen en est ici. C'est pourquoi j'ai été appelé

Hermès Trismégiste, ayant les trois parties de la philosophie de tout le monde. Ce que j'ai dit de l'opération du soleil est accompli, et parachevé. »

La Table d'émeraude est le texte clef de l'alchimie, qui décrit les sept étapes de la transformation nécessaire pour produire l'insaisissable pierre philosophale.

Selon d'autres légendes, le père de l'alchimie est Seth, fils d'Adam, qui créa apparemment la Table d'émeraude dans l'espoir que ceux qui en suivaient les enseignements corrigeraient la chute d'Adam et Ève du Paradis, car elle leur permettrait de découvrir la clef de la perfection. Dans certaines légendes gnostiques, Seth reçoit également d'Adam les secrets de la kabbale. Selon d'autres variantes, la Table fut sauvée du déluge par Noé, qui la prit à bord de son arche et la dissimula ensuite dans une grotte près d'Hébron. Sarah, épouse d'Abraham, la découvrit plus tard et elle imprègne la foi hébraïque. Selon une autre légende, c'est à Miriam, sœur de Moïse, qu'elle fut confiée, et elle la plaça dans l'Arche d'alliance avec d'autres reliques sacrées. On prétend également que la Table d'émeraude serait l'une des Tables de la Loi rapportées du mont Sinaï par Moïse et, tandis que les Dix Commandements renfermaient des enseignements ésotériques à l'intention du plus grand nombre, la Table d'émeraude était réservée aux initiés.

Dans la tradition musulmane, Hermès Trismégiste est identifié au sage Idris, qui révéla les lois divines aux fidèles. Certains érudits musulmans ont associé Idris à Énoch. L'apocryphe Livre d'Énoch décrit sa sagesse angélique. Dans certaines traditions mystiques, Énoch est transformé en l'archange Metatron pour devenir le chancelier du Ciel. Les différents personnages mentionnés ici ont un point commun : chacun possède les qualités, les valeurs et les caractéristiques auxquelles aspirent ceux qui cherchent la véritable perfection – c'est-à-dire les alchimistes.

Une autre légende concernant les origines de la Table d'émeraude prétend qu'elle fut découverte par Alexandre le Grand et exposée en Égypte dans la Grande Bibliothèque d'Alexandrie. Celle-ci, qui fut détruite par un incendie, aurait été la dépositaire de grand nombre de textes alchimiques. Heureusement, des savants avaient copié bon nombre de ces œuvres, préservant ainsi le savoir pour les siècles à venir. L'alchimie se développa ensuite en Europe par le biais de l'invasion arabe de l'Espagne et du sud de la France en 711. Des traductions latines commencèrent à apparaître et se répandirent à partir de la Renaissance.

Son influence est exprimée dans les légendes du Saint-Graal qui se propagèrent en Europe. Certains sont persuadés que le Sacro Catino, une coupe hexagonale que l'on peut voir à Gênes, serait le fameux calice. Elle aurait été entièrement façonnée dans un morceau d'émeraude et utilisée au cours de la Cène. Dans *Parzival,* son poème épique, Wolfram von Eschenbach décrit le Graal comme une pierre verte – non comme un récipient – censée procurer la vie éternelle à quiconque la détient, tout comme la pierre philosophale des alchimistes. La Table d'émeraude, selon une autre légende, aurait été vue pour la dernière fois dans le tombeau de Christian Rosenkreutz, fondateur légendaire des Rosicruciens.

L'alchimie peut paraître un sujet complexe. Son but est la transmutation, et bien que nombre d'alchimistes médiévaux aient prétendu avoir transformé le plomb en or, c'est très justement que Robert Langdon affirme que l'alchimie spirituelle aspire surtout à l'illumination, une recherche au cœur de la philosophie hermétique visant à découvrir les interconnexions entre toutes choses, macrocosme et microcosme, haut et bas, afin d'utiliser ce savoir d'une manière tant pratique que spirituelle. Voilà pourquoi les membres de la Royal Society ou « Invisible College » – hommes versés dans les arcanes – étaient fascinés par ses enseignements.

Avec l'avènement des sciences modernes à partir du XVIIIᵉ siècle, l'alchimie passa pour un ramassis de superstitions. Cependant, de nos jours, elle connaît un regain de popularité et elle est abordée d'une manière tout à fait différente : les psychologues et les physiciens quantiques y observent des parallèles avec leurs travaux. Le célèbre psychanalyste Carl Jung passa la dernière partie de sa vie à étudier le symbolisme alchimique qui lui inspira son travail novateur sur les archétypes, capables de provoquer une transformation intérieure chez ses patients. Aujourd'hui, de nombreux sites Web et forums se consacrent à l'étude des textes et des représentations alchimiques.

Le processus figuratif de transmutation se déroule généralement en sept étapes. Par exemple, avec les métaux, le processus de transformation du plomb en or passe par différents stades : d'abord, le plomb se transforme en étain, puis en fer, en cuivre, en mercure, en argent, et enfin en or. Les métaux apparaissent dans cet ordre, car chacun est supérieur à celui qui le précède, l'or étant le plus parfait de tous. Chaque étape possède un certain nombre de correspondances, par exemple avec les corps célestes : Saturne, Jupiter, Mars, Vénus, Mercure, la Lune et le Soleil. En termes d'éléments alchimiques (à ne pas confondre avec les éléments chimiques de la table périodique), on trouve dans l'ordre : le feu, l'eau, l'air, la terre, le soufre, le mercure et le sel. Dans l'alchimie, ces éléments servent à décrire les caractéristiques ou la nature des choses. Par exemple, l'acide est un mélange des éléments du feu et de l'eau : l'eau parce qu'il est liquide et le feu parce qu'il brûle. Ensemble, ils acquièrent les caractéristiques de l'acide. Les calcination, dissolution, séparation, conjonction, fermentation, distillation et coagulation constituent toutes les étapes du processus.

Les diagrammes alchimiques paraissent étranges à quiconque ignore le langage des symboles. Pour ceux qui comprennent ce qu'ils représentent, cependant, un diagramme explique l'une des étapes du processus alchimique décrit par la Table d'émeraude. Ces diagrammes doivent être étudiés soigneusement en considérant ce qui figure en haut et en bas de l'image ainsi qu'à droite ou à gauche. Car l'alchimie consiste à réunir des contraires, afin de créer une union de toutes choses. La pierre philosophale, souvent considérée comme androgyne, serait le produit de « noces chimiques ».

Dans le symbolisme de la franc-maçonnerie, les étapes de l'illumination sont illustrées par la pierre brute et la pierre polie. L'impétrant franc-maçon est le matériau de base, le plomb, la pierre brute, qui est transformée en un maître illuminé, l'or, la pierre polie. La franc-maçonnerie décrit cela dans le troisième degré comme le point dans un cercle dont aucun maître maçon ne peut s'éloigner. Ce processus s'accomplit en passant l'entrée du Temple de Salomon, en franchissant les colonnes de Boaz et Jachin et en gravissant l'escalier en colimaçon afin d'atteindre le saint des saints ou *sanctum sanctorum*. Dans d'autres allégories maçonniques, il est question de la Parole perdue et de l'œil omniscient de Dieu, qui sont d'autres métaphores de la pierre philosophale. Dans le rite écossais maçonnique, l'aigle à deux têtes du 33e degré a la même fonction.

Dans *Le Symbole perdu*, Robert Langdon donne une conférence décrivant « la plus cachée de toutes les choses cachées ». Il explique que le cercle comportant un point en son centre est appelé le cercle pointé. C'est le symbole alchimique de l'or et également celui du dieu égyptien du soleil, Râ. Il donne d'autres exemples et conclut en le rapprochant du symbole de l'union du corps et de l'esprit.

Langdon se concentre également sur l'imagerie de la pyramide et le symbolisme des pierres quand il discute de la devise alchimique VITRIOL, acronyme de « *Visita Interiora Terræ Rectificando Invenies Occultum Lapidem* » : descends dans les entrailles de la Terre et en distillant (littéralement : en rectifiant) tu trouveras la pierre cachée. Le vitriol est, quant à lui, une forme naturelle d'acide sulfurique. Ce feu liquide est l'agent de transformation fondamental dans la plupart des expériences alchimiques et c'est également le symbole du feu secret qui anime la perfection spirituelle de l'alchimiste.

En utilisant cette phrase pour décrire les sept étapes de la Table d'émeraude, nous découvrons que *Visita* représente « l'œuvre au noir » et que ce mot signifie « visiter ou entreprendre un voyage ». Le processus alchimique est appelé calcination, son élément est le feu et le verset correspondant dans la Table d'émeraude est : « Le soleil en est le père ».

Interiora se réfère à notre propre travail intérieur, par lequel nous effaçons notre ancien moi. Cette étape est appelée dissolution et son élément est l'eau. Le verset correspondant dans la Table d'émeraude est : « La lune est sa mère ».

Terra, c'est-à-dire la Terre, représente la séparation de l'essence de l'individu du fardeau de la matière en préparation d'une existence plus spirituelle. Cette étape de l'œuvre est appelée séparation, son élément est l'air et le verset correspondant dans la Table d'émeraude est : « Le vent l'a porté dans son ventre ».

Rectificando signifie « rectifier » : c'est la quatrième étape. Son élément est la Terre, et l'opération représente l'âme et l'esprit quittant ensemble la matière vers ce qui est en haut. Cela représente la quintessence, ou cinquième élément, recouvré après les opérations précédentes. Cette opération alchimique, appelée conjonction, est décrite dans la Table d'émeraude par la phrase : « La Terre est sa nourrice ».

Invenies signifie « tu découvriras ». Il s'agit de « l'œuvre au rouge » de l'alchimiste, étape où âme et esprit nourrissent l'œuf alchimique. Cette étape est dite fermentation, son élément est le soufre et le verset correspondant dans la Table d'émeraude est : « Tu sépareras la terre du feu, le subtil de l'épais doucement, avec grande industrie ».

31

Occultum signifie « secret » ou « caché » et s'applique à l'étape de la distillation. Son élément est le mercure alchimique et le verset correspondant dans la Table d'émeraude est : « Il monte de la Terre au Ciel, derechef il descend en terre, et il reçoit la force des choses supérieures et inférieures ».

Lapidem signifie « pierre » – la pierre philosophale, objectif ultime de l'alchimiste. Cette étape, dite coagulation, réunit les essences les plus pures du corps, de l'âme et de l'esprit. Son élément est le sel et la Table d'émeraude décrit ainsi cette transmutation finale : « Tu auras par ce moyen la gloire de tout le monde ; et pour cela toute obscurité s'enfuira de toi. C'est la force forte de toute force : car elle vaincra toute chose subtile, et pénétrera toute chose solide. Ainsi le monde a été créé. »

La quête de Dieu, « l'Esprit unique » dans la langue de la Table d'émeraude, ou notre moi supérieur, est l'objectif ultime. Les alchimistes expliquent que l'on y parvient en découvrant la chose unique, la première matière. Cela donne alors à l'alchimiste la capacité de créer la pierre philosophale et l'élixir de vie. Selon la Table d'émeraude : « Et comme toutes les choses ont été, et sont venues d'un, par la méditation d'un : ainsi toutes les choses sont nées de cette chose unique, par adaptation ».

Dès lors, la quête des alchimistes et des mystiques de toutes époques est celle-ci : pour engendrer un monde meilleur, l'œuvre commence et finit avec soi !

VOIR ÉGALEMENT : Franc-maçonnerie, Hermétisme, Sir Isaac Newton, Pierre philosophale, Rosicruciens.

ANNÉE 2012

La fin du monde doit survenir en 2012. Pour être plus précis, le 22 décembre 2012. C'est du moins ce que prétend un nombre croissant d'individus convaincus que ce jour fatal sera le dernier de notre espèce.

Dans *Le Symbole perdu*, le personnage de Peter Solomon débat de la prophétie de l'Illumination de l'humanité avec un groupe d'étudiants. L'un d'eux s'écrie que cette date est prévue pour 2012.

Cette prophétie trouve ses racines dans l'Antiquité et s'appuie en particulier sur un ancien calendrier maya connu sous le nom de « compte long méso-américain ». Ainsi, le cycle actuel de ce calendrier touche à sa fin au bout d'environ 5 125 ans en décembre 2012.

Le compte long est divisé en différents cycles : un uinal se compose de 20 jours ; un tun, de 18 uinals ou de 360 jours ; un katun comprend 20 tuns, soit 7 200 jours ; et enfin, 20 katuns, soit un baktun, représentent 144 000 jours.

Nous savons que le compte long débute en août 3114 avant J.-C. et que, pour le moment, nous avons connu plus de 12 baktuns. Plus précisément, dans le compte long, au 17 septembre 2009, nous en sommes à 12.19.16.12.9.

Selon certains chercheurs, l'arrivée de treize baktuns, soit la date 13.0.0.0.0 – qui surviendra précisément le 22 décembre 2012 –, est un événement important qui en réalité marque la fin du compte long lui-même.

Le nombre 13 était en effet sacré pour les Mayas, notamment parce qu'il représente les 13 articulations principales du corps. C'est également le nombre de révolutions annuelles de la lune autour de la Terre. L'un des calendriers sacrés des Mayas est le tzolkin, calendrier rituel composé de 260 jours, qui correspond exactement à la durée de la gestation humaine et qui était utilisé pour repérer les conjonctions Terre-Vénus. Dans ce calendrier, le nombre 13 apparaît de nouveau, les 260 jours étant répartis en 13 « mois » composés chacun de vingt jours.

Certains accordent beaucoup d'importance aux calendriers mayas – notamment le compte long, avec sa date fatidique de 2012 – parce que la civilisation qui les a inventés était obsédée par le décompte du temps et s'en acquittait avec une précision remarquable. Lawrence E. Joseph le souligne dans son livre *Apocalypse 2012* :

> « Les Mayas adoraient leurs calendriers, ils les considéraient comme une représentation du temps, qui est le déroulement de la vie. Ils balisèrent ce déroulement non pas au moyen d'un calendrier mais d'une vingtaine, dont quinze sont parvenus jusqu'à nous ; cinq manquants sont encore tenus secrets par les anciens Mayas. Ces calendriers sont liés aux mouvements du soleil, de la lune et des planètes visibles, aux récoltes, aux insectes et aux cycles. »

Cette obsession du temps les conduisit à faire des découvertes très importantes. Par exemple, ils étaient capables de calculer l'orbite de Vénus au jour près tous les mille ans.

Treize de ces cycles ou baktun, soit 5 125 de nos années, représentent une « ère », que les Mayas appelaient « *sun* ». Selon leurs très précises croyances, nous sommes actuellement dans le quatrième *sun*. Le cinquième – si tant est qu'il doit y en avoir un – commencera le 22 décembre 2012, noté selon le compte long 13.0.0.0.0 – c'est-à-dire littéralement l'année zéro.

D'après les légendes mayas, notre ère actuelle, soit le quatrième *sun*, a commencé avec la naissance de Vénus en l'an 3114 avant J.-C. Dans *Les Prophéties mayas*, Adrian

Gilbert et Maurice Cotterell expliquent l'importance de ce fait par rapport à 2012 :

« Alors que nous approchons de la date fatidique de 2012, que les anciens Mayas considéraient comme la fin de la dernière ère, nous ne pouvons qu'éprouver de l'appréhension pour l'avenir de notre terre. Le début de la dernière ère maya était marqué par la naissance de Vénus, l'étoile Quetzalcoatl, le 12 août 3114 avant J.-C. Le dernier jour de cette ère, le 22 décembre 2012, les relations cosmiques entre Vénus, le Soleil, les Pléiades ainsi qu'Orion seront une fois de plus en exergue. Car tout comme Vénus est "née" à cette date antérieure, son lever juste avant l'aube étant annoncé par les Pléiades au méridien, elle va à présent "mourir" symboliquement. »

Si tout cela compose une littérature bien dramatique, cela n'explique en rien ce que la « mort » de Vénus signifie pour nous et la planète Terre. Beaucoup pensent que la fin d'une ère signifie simplement le début d'une autre. Que nous passions d'une ère maya à la suivante est indiscutable ; la seule inconnue concerne les souffrances éventuelles qui accompagneront cette « naissance ».

Un certain nombre de chercheurs pensent avoir trouvé dans les inscriptions mayas des dates postérieures au 13.0.0.0.0 ; en fait, on en trouve éloignées de milliers d'années dans notre avenir. Par exemple, un événement de l'année 4772 apparaît dans les inscriptions découvertes à Palenque, dans le sud du Mexique.

Ces chercheurs ont-ils raison ? L'arrivée du 13.0.0.0.0 n'est-elle rien de plus qu'un événement à fêter, un cran de plus franchi sur un immense calendrier ?

Si vous vous rangez parmi ceux qui croient que la fin du monde est vraiment pour 2012, vous avez le choix parmi tout un ensemble de scénarios catastrophes. Outre les conflits nucléaires, les menaces du changement climatique ou les fléaux mortels, les causes potentielles de notre destruction abondent.

Certaines théories avancent que nous devrons notre anéantissement en 2012 à un déplacement des pôles, lequel provoquerait une migration de la croûte terrestre, comme l'a développé Charles Hapgood en 1958 dans son livre *Les Mouvements de l'écorce terrestre*. L'idée est terrifiante. Hapgood a même attiré l'attention d'Einstein, qui non seulement correspondit avec lui mais confirma ses recherches et les soutint en préfaçant son ouvrage.

En bref, la théorie avance que, tous les millénaires, les pôles terrestres se déplacent, souvent brusquement, et ce sur de grandes distances. Quand ce phénomène se produit, il peut s'accompagner d'un déplacement de la croûte terrestre, scénario dans lequel la croûte glisse sur le manteau, déplaçant les pôles jusqu'à l'équateur. Il va sans dire que cela provoquerait non seulement l'anéantissement de la majeure partie du monde civilisé, mais aussi des raz-de-marée gigantesques qui balaieraient tout ce qui aurait pu en réchapper jusque-là.

Selon une autre théorie répandue, le soleil va faire des siennes et démontrer toute sa puissance en 2012. En gros, le soleil n'est pas un objet céleste stable, il est en constant mouvement et même sa surface n'est pas d'une température uniforme. Au cours du temps, sa puissance augmente et décroît, soumise à des cycles si complexes que nous essayons encore de les déterminer. On estime la température moyenne de surface à 5 800 °C. Cependant, des zones qui sont beaucoup plus froides (parfois de 1 500 °C de moins) se développent en raison de fortes concentrations de flux magnétique en surface et apparaissent comme de larges taches sombres. Ce sont ces zones que nous nommons taches solaires. Leur activité est étroitement liée aux cycles du soleil et nous passons d'un maximum solaire (maximum de taches solaires) à un minimum (période durant laquelle le nombre de taches est à son plus bas).

Un groupe de scientifiques, dont S.K. Solanski, de l'institut Max Planck de recherches sur le système solaire, a publié un article dans le magazine *Nature* en 2004 expliquant que, selon les données recueillies, le soleil présente une activité inhabituelle depuis 1940 :

> « Nous présentons ici un récapitulatif des taches solaires sur les 11 400 dernières années. Selon ce calcul, le niveau d'activité solaire durant les soixante-dix dernières années est exceptionnel et n'a eu d'équivalent qu'il y a plus de 8 000 ans. Nous avons découvert qu'au cours des 11 400 dernières années, le soleil n'a connu un niveau aussi élevé d'activité magnétique que durant environ 10 % de sa vie, et que presque toutes les précédentes périodes de forte activité étaient plus courtes que la période actuelle. »

C'est en effet une troublante coïncidence que le soleil fasse montre d'une activité plus élevée que d'habitude juste avant la date finale du compte long en 2012. Le soleil jouera-t-il un rôle crucial et nous réserve-t-il une surprise pour le 22 décembre de cette année-là ?

Si rien ne prouve formellement qu'il jouera un rôle dans les événements du 22 décembre 2012, nous devons nous rappeler que la civilisation qui a conçu le compte long passait une grande partie de son temps à observer la voûte céleste et que nombre de ses calendriers étaient étroitement liés au cycle solaire.

Notez que le soleil n'est pas la seule force naturelle capable de nous balayer en 2012. Il ne faut pas non plus oublier les gros astéroïdes. Un impact de l'ordre de celui survenu il y a environ 65,5 millions d'années sur la masse continentale de la côte du Yucatán – masse continentale qui se trouvait être, autre coïncidence, celle qui abritait les Mayas – anéantirait certainement toute civilisation.

Il y a également l'idée que notre système solaire tout entier se déplace vers l'intérieur de notre galaxie, la Voie lactée. Selon certains scientifiques, notre système pourrait atteindre une région de l'espace beaucoup plus active et instable. Notre soleil et ses planètes, la Terre incluse, seraient en danger, et il va sans dire que nous serions totalement sans défense face à de tels phénomènes naturels. Comme les pignons d'une immense machinerie, nous n'avons aucun contrôle sur la direction que prennent notre planète et notre système solaire tout entier. Il ne fait aucun doute que nous ayons déjà traversé de telles régions par le passé ; la question est : les Mayas possédaient-ils une connaissance de ces régions célestes et savaient-ils à quelle date précise nous retournerions dans ces parages dangereux ?

La Terre a connu dans sa longue histoire des extinctions durables. La vérité indéniable, c'est qu'il s'en produira une autre dans notre avenir ; en revanche, se pourrait-il qu'elle puisse survenir à très court terme ?

Après avoir terrifié tout le monde, il est temps d'essayer d'examiner logiquement où nous en sommes à présent. Cette folie eschatologique à cause d'une date mentionnée dans un calendrier antique. Bien qu'il ne fasse aucun doute qu'il s'agit d'une étape importante, rien n'indique avec certitude qu'elle marque la fin des temps. En fait, beaucoup d'auteurs new-age jugent qu'il s'agit non pas de la fin du monde mais de sa renaissance.

John Major Jenkins, par exemple, avance que les Mayas ont prévu un immense changement dans le potentiel spirituel de l'humanité à la fin du baktun actuel et beaucoup se sont rangés à cette idée, prédisant que la conscience humaine se développera plus encore à la lumière de 2012. Cela ouvrira une nouvelle ère, une sorte d'âge d'or de l'humanité, si vous préférez.

Pour beaucoup d'autres, le passage de cette date se fera sans le moindre soubresaut. Ce sera tout simplement un jour comme un autre.

Le fait est que si nous fondons notre conviction de l'imminence de la fin du monde uniquement sur les calendriers méso-américains, nous sommes dans de sales draps. Tant de textes ont été détruits lors de la conquête espagnole du Mexique, en 1521, sous la conduite d'Hernán Cortés, que nous n'avons plus à notre disposition la totalité du corpus. Si des fragments des croyances mayas nous sont parvenus, il nous en manque une grande partie. En conséquence, il ne nous reste qu'à attendre le 22 décembre 2012. Si nous nous réveillons le lendemain matin, n'oublions pas de fêter cette date, quelles que soient nos croyances.

Les sujets comme celui de 2012 nous font prendre conscience de la fragilité de l'humanité et la vérité, c'est que c'est un miracle que nous soyons là. Que toute notre civilisation existe à la surface d'un minuscule caillou soumis aux dangers de la galaxie : il y a de quoi s'émerveiller.

L'APOTHÉOSE DE WASHINGTON

Le mot « apothéose » vient du grec *apotheosis* que l'on peut traduire par l'action de « se transformer en dieu » – *apo* signifiant « changement » et *theos* « dieu ». On retrouve dans nombre de civilisations l'idée qu'un homme puisse être élevé au rang de divinité. Bien que le terme n'apparaisse qu'après le règne d'Alexandre le Grand, il ne fait aucun doute que ce concept existait longtemps avant l'expression consacrée. Le culte grec orphique, fondé sur les écrits du poète mythique Orphée, allait jusqu'à affirmer que l'âme humaine ne devenait pas divine seulement au moment de la mort, mais qu'elle l'était auparavant.

Bien avant les Grecs, les pharaons égyptiens étaient considérés comme des dieux *après* leur mort. Les Textes de la pyramide détaillent ce processus sacré au cœur de la religion égyptienne en 2400 avant J.-C.

Le concept d'apothéose était également répandu dans la Rome antique, où la divinisation de l'empereur finit par devenir une pratique établie. On en voit encore aujourd'hui l'illustration à Rome dans l'Arc de triomphe de Titus, monument qui fut édifié peu après la mort de l'empereur en 81. Y est représentée l'apothéose de Titus montant vers le ciel, porté sur les ailes d'aigles.

Cette représentation des grands personnages historiques montant aux cieux s'est poursuivie à l'époque moderne. On en trouve un exemple dans *L'Apothéose de Napoléon Iᵉʳ* d'Ingres ou dans celle de George Washington, qui nous intéresse plus ici.

L'Apothéose de Washington est le joyau qui couronne le Capitole. Cette fresque immense décore l'intérieur du dôme. Peinte en 1865 par Constantino Brumidi, elle couvre

430 mètres carrés et se trouve à 55 mètres juste au-dessus du sol de la rotonde.

Le dôme original du Capitole était en bois et en cuivre ; le Congrès décida en 1855 de le remplacer par une œuvre plus grandiose, en fer, conçue par l'architecte Thomas Walter.

L'intérêt de la fresque de Brumidi est le suivant : elle se situe entre la coque extérieure du dôme, plus haute, et la coque intérieure. Il y a une ouverture circulaire de plus de 18 mètres de diamètre, où est suspendue par des tiges d'acier une voûte en plâtre sur laquelle Brumidi put exécuter son œuvre. Étant donné la particularité de cette construction, l'oculus du dôme intérieur est en réalité plus petit que la fresque elle-même : il est donc impossible de voir la fresque entière depuis l'intérieur de la rotonde.

La commande de la fresque fut passée en août 1862. George Washington, premier Président des États-Unis et chef de l'Armée continentale américaine durant la guerre d'Indépendance américaine, était mort depuis cent trente et un ans ; entre-temps, sa popularité n'avait cessé de grandir. George Washington était considéré comme le père de la Nation et, en 1802 déjà, l'idée de son apothéose avait circulé, l'artiste John James Barralet ayant achevé cette année-là une gravure représentant l'instant où George Washington montait vers l'Olympe, entouré de personnages représentant la Liberté, le Temps, la Foi, l'Espoir et la Charité, et même un personnage représentant un Amérindien. En 1860, une autre gravure en couleurs sur le même sujet fut réalisée par l'artiste allemande H. Weishaupt. Ces œuvres renforçant l'idée de la divinité de George Washington ouvrirent la voie à la commande passée à Brumidi.

En 1862 le peintre reçut de Thomas Walter la lettre suivante :

« L'intention est de peindre sur la voûte concave située au-dessus de l'œil du nouveau dôme du Capitole une fresque de 20 mètres de diamètre. Je vous serai reconnaissant de me faire parvenir une esquisse pour ladite fresque, à la date de votre convenance. »

Brumidi ayant fourni les premières esquisses, un accord fut donc conclu selon lequel, à partir d'avril 1863, Brumidi recevrait un salaire mensuel de 2 000 dollars.

Le peintre commença la fresque en 1865 et l'échafaudage fut enfin enlevé l'année suivante. Quand le public eut le droit de venir contempler l'incroyable fresque, l'accueil fut enthousiaste. Brumidi avait créé ce qui est encore considéré comme l'un des meilleurs exemples de peinture académique en Amérique.

On y voit George Washington, assis au ciel dans toute sa gloire, la Liberté à sa gauche, la Victoire – ou Renommée – à sa droite. Il est entouré de treize jeunes filles représentant les treize colonies originales qui formèrent les États-Unis. On y voit également la pays prospérant sous l'égide des dieux qui lui accordent leur protection : Mercure offre un sac d'or à Robert Morris pour aider au financement de la guerre d'Indépendance ; Minerve, déesse de la sagesse, forme Benjamin Franklin ; Cérès, Flore et Pomone, déesses latines de l'Agriculture et des Récoltes, apportent à la jeune Amérique, représentée avec le bonnet rouge de la Liberté, leur aide durant une abondante récolte ; Neptune, ouvre un chemin à travers l'océan pour permettre la pose d'un câble sur le plancher océanique ; Vulcain, à la forge, fabrique un canon et une machine à vapeur ; enfin, la Liberté brandit une épée et, accompagnée de l'aigle chauve, chasse les ennemis de l'Amérique.

Le chef-d'œuvre de Brumidi s'inspire de nombreuses peintures classiques, dont il mêla les influences avec des images du monde moderne, pour aboutir à une vision neuve de George Washington en dieu des États-Unis, jeune pays progressiste.

L'Apothéose de Washington est au cœur de l'intrigue du *Symbole perdu*. L'une des idées forces du roman est que la divinité est en chacun de nous, que nous sommes tous Dieu. Dan Brown nous apprend que ce concept de l'homme divin est au cœur de la fresque qui décore le Capitole. Mais il ne s'agit pas seulement de George Washington divinisé. En effet, la rotonde nous invite à comprendre que pour accéder à Dieu, nous devons simplement regarder en nous-mêmes.

Un livre récent de William Henry et du Dr Mark Gray a apporté une lumière nouvelle sur *L'Apothéose de George Washington*. Intitulé *La Porte de la Liberté : les symboles perdus du Capitole américain*, il traite, entre autres curieux détails qu'il révèle, du cercle de 72 étoiles qui entourent la fresque :

> « La fresque représente le premier Président des États-Unis s'élevant vers les nuages de la gloire. Flottant au centre de la peinture, Washington divinisé trône sur un arc-en-ciel – siège du jugement du Ciel –, lui-même contenu dans un cercle ou une sorte de "porte" de 72 étoiles. »

Fait étrange, cet anneau de 72 étoiles se trouve en fait sur la bordure extérieure de l'oculus qui s'ouvre au sommet exact de l'intérieur du dôme, permettant à la fresque située au-dessus d'être visible. En y regardant de plus près, on découvre qu'il s'agit d'étoiles à cinq branches, ou penta-grammes. C'est important, car celles-ci, dans l'Égypte ancienne, évoquaient le Duat – tout simplement le Ciel, littéralement un univers souterrain céleste, lieu où l'âme du défunt pharaon voyageait pour devenir un dieu parmi les étoiles. L'étoile à cinq branches dans un cercle, ou pentacle, orne fréquemment les voûtes des tombeaux des Égyptiens anciens.

Puisque les premiers récits d'apothéoses s'enracinent dans l'Égypte ancienne, il paraît naturel de trouver cet anneau d'étoiles autour de *L'Apothéose de Washington*. En outre, si nous examinons de plus près leur disposition, nous remarquons qu'elles sont enfermées dans une longue chaîne de 8, ou, plus logiquement en l'occurrence, de symboles de l'infini (∞). George Washington assis au cœur d'un anneau d'infini, la métaphore visuelle est appropriée.

Autre détail passionnant : l'arc-en-ciel qui traverse le nuage où est assis George Washington. Dans leur livre, Henry et Gray en soulignent l'importance :

« Dans les scènes du Jugement dernier, Jésus est fréquemment représenté sur un arc-en-ciel ou à l'intérieur. En conséquence, l'arc-en-ciel est associé à la gloire. Symboliquement, il est l'intermédiaire entre le Ciel et la Terre. C'est une passerelle qu'empruntent les dieux pour aller d'un monde à l'autre... Dans la grande perfection ou corps d'arc-en-ciel, le corps humain est considéré comme une phase intermédiaire, une passerelle. La suivante, le revêtement du corps de lumière, consiste à endosser l'armure entière de Dieu dans les Éphésiens (6 :10-20). Ce corps de lumière (corps d'étoiles, ou encore corps d'arc-en-ciel) est le corps intérieur "spirituel" caché dont parlent de nombreuses traditions. Dans le soufisme, il est qualifié de "corps le plus sacré" et de "corps supracéleste". Les taoïstes l'appellent "corps de diamant" et ceux qui l'ont atteint sont nommés "immortels", "ceux qui marchent sur les nuages". Les Égyptiens anciens l'appelaient "le corps ou l'être de lumière".

Dans cette perspective, la signification sous-jacente au symbole de George Washington assis sur l'arc-en-ciel est claire. Il est un humain parvenu à la perfection, non seulement un grand maître illuminé mais aussi un "Christ américain" en phase avec sa nature divine. Il est à présent quelque part au-dessus de l'arc-en-ciel et son image est "une passerelle entre le Ciel et la Terre". »

Il semble que Brumidi ait été versé dans le symbolisme de la transformation et qu'il se soit donné beaucoup de mal pour enfouir bon nombre de ces éléments dans *L'Apothéose de Washington*. Ce qui, au premier abord, apparaît comme rien de plus qu'une fresque bien exécutée en hommage au premier Président des États-Unis se révèle être une peinture extraordinairement riche de références occultes. Si l'on songe aux liens qui existent entre le Capitole et la franc-maçonnerie, cela n'a rien d'étonnant.

Vers la fin du *Symbole perdu*, Robert Langdon – alors qu'il contemple la fresque – cite un extrait des *Enseignements secrets de tous les âges*, rédigé en 1928 par Manly P. Hall : « Si l'Infini n'avait pas désiré que l'homme devînt sage, Il ne lui aurait pas accordé la faculté de savoir. »

Voilà qui paraît une citation bien adaptée à ce moment du roman, car de nombreux enseignements secrets sont dissimulés dans *L'Apothéose de Washington*. À charge pour nous d'emmagasiner les connaissances nécessaires pour les relever.

VOIR ÉGALEMENT : Constantino Brumidi, Capitole, George Washington.

BACON, SIR FRANCIS

Sir Francis Bacon a laissé son empreinte sur la pensée philosophique en Occident. Il était membre de ce que Dan Brown appelle « le club des esprits les plus éclairés du monde » avec sir Isaac Newton, Robert Boyle et Benjamin Franklin. Il apparaît également comme l'auteur de *La Nouvelle Atlantide*, un livre décrivant une vision utopique de la société, qui aurait influencé les Pères fondateurs de l'Amérique lorsqu'ils posèrent les premières pierres du Nouveau Monde.

La Bacon Society of America, fondée en 1922, a rendu hommage à sir Francis Bacon en ces termes :

> « Il serait souhaitable que les Américains soient plus familiers du rôle que joua Bacon dans l'implantation et l'évolution des premières colonies anglaises en Amérique du Nord, car, bien que ce ne soit pas généralement connu, il contribua à la rédaction de la charte de la compagnie de Virginie en 1609 et 1612. »

Cette contribution est peut-être l'une des raisons de l'hommage qui lui est rendu dans la salle de lecture principale de la bibliothèque du Congrès, où, au-dessus d'une statue représentant la Philosophie, se trouve une citation abrégée de l'essai de Bacon *De la vérité* : « La curiosité, le savoir et la foi en la vérité sont le bien souverain de la nature humaine. »

Bacon (1561-1626) est l'auteur de *La Sagesse des Anciens*, ouvrage dans lequel il explique le savoir véhiculé par les mythes. Certains pensent que Bacon a pu contribuer à la traduction de la Bible en anglais moderne, connue sous le nom de *King James Bible*.

Dans *Sir Francis Bacon : poète, philosophe, homme d'État, juriste et sage*, Parker Woodward écrit :

> « Il a été avancé que la version atorisée de la Bible imprimée en 1610-1611 fut soumise pour correction finale à Francis, mais il ne pouvait s'agir que d'en polir l'anglais, la traduction ayant été effectuée par une commission spéciale de clercs érudits. »

Le philosophe américain Manly P. Hall était nettement plus convaincu du rôle de Bacon dans ce travail commandé par le roi Jacques. Dans une conférence intitulée « Origines rosicruciennes et maçonniques », il déclara : « La première édition de la Bible du roi Jacques, qui fut établie par Francis Bacon et préparée sous supervision maçonnique, porte plus de marques maçonniques que la cathédrale de Strasbourg. »

Francis Bacon fit ses études au Trinity College de Cambridge et passa trois ans en France au service de l'ambassadeur d'Angleterre. Il travailla comme avocat et finit par devenir procureur général. Il voulait acquérir un savoir universel, et son œuvre littéraire témoigne d'une magnifique maîtrise de la langue anglaise.

Bacon devint membre du Parlement en 1584 et, quelques années plus tard, le comte d'Essex, ambitieux favori d'Élisabeth Ire, devint son protecteur. Mais Essex, trop ambitieux et rebelle, fut condamné à mort et exécuté ; Bacon, qui avait gardé ses distances vis-à-vis des projets séditieux de son protecteur, rédigea le rapport officiel sur l'affaire. Il parvint à gagner la faveur du roi Jacques à son avènement sur le trône d'Angleterre après Élisabeth Ire et fut fait chevalier en 1603. Il devint lord chancelier en 1618 et fut promu premier baron Verulam puis, deux ans plus tard, vicomte Est Albans. Peu après, il fut accusé de corruption et tomba en disgrâce. Cette inculpation mit fin à sa carrière politique et il passa ses dernières années à se consacrer à son œuvre littéraire.

Les circonstances de la mort de Bacon témoignent d'un tempérament curieux. Par un jour de neige, il partit à Highgate, quartier de Londres, avec le médecin du roi, pour acheter une volaille qu'ils farcirent de neige pour vérifier sa théorie selon laquelle le froid conservait la viande. Malheureusement, l'exposition lui fut fatale et il mourut quelques jours plus tard de pneumonie. Il eut le temps de rédiger une lettre où il déclara, non sans esprit : « Quant à l'expérience elle-même, elle se passa excellemment. »

Katherine Solomon et Robert Langdon passent à la bibliothèque Folger-Shakespeare de Washington, où se trouve un exemplaire original en latin de *La Nouvelle Atlandide* de Bacon. Bien que Langdon soit occupé à fuir la CIA, il parvient à reconnaître l'importance de ce livre. La bibliothèque abrite de nombreux manuscrits rares et précieux, dont des exemplaires du premier folio de Shakespeare. Il se peut que ce dernier et Bacon aient entretenu des relations plus étroites qu'il n'y paraît.

Pour bien des experts, William Shakespeare, petit provincial de Stratford-on-Avon, n'aurait pu acquérir les connaissances nécessaires pour écrire les célèbres pièces signées de son nom. Dans ce cas, on est en droit de se demander qui les a écrites. Un certain nombre d'autres auteurs sont envisagés, dont sir Francis Bacon, Christopher Marlowe et les comtes d'Oxford et de Derby. Bacon serait le plus probable pour certains. Ses nombreux voyages sur le continent le familiarisèrent avec les intrigues politiques et les rituels de cour qui émaillent les pièces du barde immortel. Certains ont émis l'hypothèse, au vu des détails juridiques et des procédures décrites dans certaines pièces, que l'auteur avait une formation de juriste, ce qui est effectivement le cas de Bacon. Il possédait les connaissances diplomatiques, philosophiques et linguistiques qui transparaissent dans l'œuvre du dramaturge.

L'un des champions de cette théorie, attribuant à Bacon la paternité des pièces de Shakespeare, fut Ignatius Donnelly. Ce sénateur du Minnesota de 1874 à 1878 profita des avantages de la bibliothèque du Congrès pour mener ses recherches. Après avoir renoncé à ses fonctions politiques, il eut le temps de les poursuivre. Il finit par se convaincre que la clef de l'énigme se trouvait dans les textes des pièces, il entreprit alors de décrypter l'œuvre de Shakespeare. La clef qu'il tenta d'utiliser était le chiffre de Bacon, méthode exposée par ses soins dans son livre *L'Avancement des sciences*. Que Bacon ait été l'inventeur d'un code n'était sûrement pas étonnant, vu que ses fonctions diplomatiques impliquaient probablement d'envoyer des messages en toute sûreté. Au terme de recherches exhaustives, Ignatius Donnelly publia *Le Grand Cryptogramme* en 1888, ouvrage de plus de mille pages dans lequel il prétendait avoir trouvé des séquences numériques qui, une fois décodées, donnaient ce message : « *Seas ill said that More low or Shak'est spur never writ a word of them* » (« Ni Marlowe ni Shakespeare n'en écrivirent un mot »). Ce supposé aveu que Shakespeare diminuait de beaucoup la valeur d'autres preuves plus probantes qu'il présentait également.

Ignatius Donnelly est plus connu aujourd'hui pour son ouvrage *Le Monde antédiluvien*, très apprécié des historiens alternatifs et des partisans des théories du complot. Comme Bacon, Donnelly était convaincu de l'historicité de l'Atlantide décrite par Platon.

Pour ceux qui apprécient le symbolisme des nombres – et Robert Langdon en fait partie –, la traduction King James de la Bible comporte une « coïncidence » très remarquée. Elle fut achevée en 1611, alors que William Shakespeare avait quarante-six ans. Et si nous l'ouvrons au psaume 46, nous découvrons que le quarante-sixième mot à partir du début est « *shake* » et le quarante-sixième à partir de la fin est « *spear* ». Il est exquis d'imaginer que le « nègre » de Shakespeare ait pu y glisser cette petite plaisanterie.

Dans *Le Symbole perdu*, le doyen de la cathédrale nationale de Washington, le révérend Colin Galloway, crédite sir Francis de la « capacité d'écrire en langage clair », alors que Robert Langdon sait que Bacon était un rosicrucien. Le symbole rosicrucien était... une rose sur une croix. Galloway avance que Bacon aurait même pu être le légendaire Christian Rosenkreutz, fondateur du mouvement Rose-Croix.

Dans *La Philosophie occulte à l'époque élisabéthaine*, l'universitaire renommé Frances Yates, faisant allusion à l'une de ses œuvres antérieures, pense que Bacon était lié aux rosicruciens :

« J'ai émis dans *L'Illumination rosicrucienne* l'hypothèse selon laquelle le mouvement de Francis bacon pour l'avancement des sciences était étroitement lié au mouvement rosicrucien allemand, les deux présentant une vision mystique et millénaire... J'ai souligné que *La Nouvelle Atlantide* de Bacon, publiée en 1627, un an après sa mort, résonne des thèses rosicruciennes. »

Dans *L'Avancement des sciences*, Bacon décrit un mouvement ou un groupe possédant des idéaux rosicruciens : « Aussi sûrement [...], la science ne peut être qu'une fraternité de la connaissance et de l'illumination, liée à la paternité attribuée à Dieu, qui est appelé le père de l'Illumination et des Lumières. »

Sir Francis était bien conscient qu'il ne suffisait pas de se contenter de procéder à des expériences et des observations. Pour qu'elles soient utiles, celles-ci exigeaient une analyse méticuleuse. Dans *La Nouvelle Atlantide*, il raconte une histoire qui rehaussa sa réputation parmi ceux qui allaient former la Royal Society. Ils s'inspirèrent de la vision de Bacon de la maison de Salomon sur l'île de Bensalem. C'était une sorte de collège de recherches où l'on étudiait les créations de Dieu.

La Nouvelle Atlantide se déroule sur une île utopique, Bensalem, dans le Pacifique Sud. Bensalem est, en particulier si l'on considère que le livre fut écrit au début du XVIIe siècle, et probablement vers 1623, un paradis d'illumination. Il contraste singulièrement avec l'Europe de l'époque, où différentes formes de protestantisme et de catholicisme étaient en conflit permanent et parfois mortel. Le nom de l'Atlantide est tiré d'une civilisation mystérieuse qui aurait été fondée par un peuple très avancé à une époque très reculée. Sa disparition et sa position géographique font l'objet de débats depuis des millénaires.

L'influence de Bacon sur le développement des sciences n'est pas due à ses grandes découvertes ou à ses expériences complexes. Il parvint avant tout à définir un principe capital pour l'investigation scientifique moderne en établissant qu'il convient de garder l'esprit ouvert concernant les conclusions d'une expérience, tant que nous n'avons pas obtenu de preuve. Dans *L'Avancement des sciences*, il déclare : « Si nous commençons avec des certitudes, nous terminerons dans le doute, mais si nous commençons avec des doutes, et que nous nous montrons patients, nous terminerons dans les certitudes. »

Sir Francis Bacon fut l'auteur de nombreux ouvrages et le propagateur de nombreuses idées. C'était sans aucun doute un génie doué de multiples facettes. Le poète érudit Alexander Pope déclara à son propos : « Lord Bacon fut le plus grand génie que l'Angleterre, ou peut-être tout autre pays, ait jamais conçu. »

VOIR ÉGALEMENT : Manly P. Hall, Rosicruciens, Royal Society et Invisible College.

BIBLIOTHÈQUE DU CONGRÈS

Ayant échappé aux griffes de la CIA, Robert Langdon et son sauveur, Warren Bellamy, atteignent la bibliothèque du Congrès par un tunnel partant du Capitole. Ils traversent le grand hall pour gagner la salle de lecture principale. Malgré son désespoir devant la tournure des événements, Langdon prend le temps d'admirer les lieux en songeant que c'est peut-être la salle la plus magnifique du monde.

La bbliothèque du Congrès date de 1800, époque où le Congrès accorda 5 000 dollars pour l'acquisition de « livres nécessaires à l'usage du Congrès ». Cependant, après la défaite américaine à Bladensburg le 24 août 1824, les troupes anglaises entrèrent dans Washington. Elles incendièrent et pillèrent de nombreux bâtiments officiels, dont le Capitole, détruisant ainsi 3 000 volumes de la collection. En compensation, le président Thomas Jefferson proposa de céder sa vaste collection personnelle de 6 487 livres au Congrès pour la somme qui lui conviendrait : « Je ne pense pas que la collection contienne quelque branche de la science que le Congrès souhaiterait exclure. »

Finalement, le Congrès accepta d'acheter la bibliothèque de Jefferson qui forma alors le fonds de la collection. Malheureusement, un autre incendie à la veille de Noël 1851 détruisit 35 000 ouvrages, dont les 4 324 du fonds Jefferson. Bien que le Congrès ait accordé d'autres subventions pour renouveler la collection, c'est seulement lorsque la bibliothèque fut dirigée par Ainsworth Rand Spofford, de 1864 à 1897, qu'elle s'étendit considérablement, aidée par la loi de 1870 sur le copyright, qui exigeait que deux exemplaires de chaque livre ou ouvrage imprimé soit déposé à la bibliothèque du Congrès. L'afflux d'ouvrages exigea rapidement le déménagement dans un bâtiment plus vaste et mieux adapté, dont la construction débuta en 1892. Élaboré dans le style Renaissance, le Thomas Jefferson Building a été qualifié de « plus vaste, plus coûteuse et plus sûre » bibliothèque du monde.

La bibliothèque est le lieu de recherches du Congrès. Son cahier des charges stipule qu'elle doit mettre ses ressources à la disposition du Congrès et du peuple américain, maintenir et préserver une collection universelle de savoirs et de créativité pour les générations futures.

Eu égard à l'importance de son fonds, elle est la plus grande du monde puisqu'elle compte près de 142 millions de publications, dont plus de 32 millions de livres et 62 millions de manuscrits logés dans plus de 1 000 kilomètres de rayonnages. Chaque jour, 10 000 publications s'ajoutent à la collection. La bibliothèque s'étend désormais sur trois bâtiments autour de Capitol Hill : le Thomas Jefferson Building, le John Adams Building (ouvert en 1938) et le James Madison Memorial Building (créé en 1981). Outre la bibliothèque, le site regroupe le bureau du bibliothécaire, le service de recherches du Congrès, le bureau du copyright américain, et la bibliothèque juridique du Congrès, qui compte à elle seule plus de trois millions de livres.

Le bâtiment original de la bibliothèque du Congrès – celui dans lequel se trouve Langdon – est le Thomas Jefferson Building. C'est un rectangle contenant une construction en T qui forme le grand hall et la salle de lecture principale. L'intérieur du grand hall est doté d'opulentes finitions en marbre et d'un sol dallé où figure un arbre incrusté de bronze dessinant un soleil entouré des douze signes du zodiaque. Au-dessus, le plafond en stuc est décoré à la feuille d'or, les poutrelles du toit étant recouvertes de feuilles d'aluminium et de vitraux.

Dans le hall se trouvent huit statues de Minerve, déesse romaine du Savoir et de la Sagesse, dans ses incarnations de Minerve de la Guerre et de Minerve de la Paix. Elle est l'équivalent romain de l'Athéna grecque, dont de nombreuses représentations figurent à Washington. Une vaste mosaïque la représente également dans le grand hall, œuvre de l'artiste Elihu Vedder, qui avait des liens maçonniques et rosicruciens.

Le grand hall est décoré de nombreux exemples des métiers et passe-temps des Américains de 1897, époque d'achèvement du bâtiment. Les deux escaliers monumentaux sont ainsi ornés de chérubins aux attributs variés, notamment un jardinier avec ses outils et un médecin portant un mortier et le caducée. On reconnaît également un mécanicien, un entomologiste, un fermier et un cuisinier.

Le corridor rend un hommage tout particulier au rôle de l'Amérique dans les découvertes et les progrès scientifiques, les arts, le droit et la médecine. C'est là que Langdon passe devant les vitrines exposant la Bible de Gutenberg, premier livre imprimé, et la Bible géante de Mainz, écrite à la main, datant l'une et l'autre de l'Allemagne de 1450. Y figurent six peintures de John White Alexander intitulées *L'Évolution du livre*, représentant les différents stades du développement humain jusqu'à l'apparition de l'imprimerie.

Le grand hall débouche sur la salle de lecture principale et son fonds général de 70 000 volumes. Cette salle octogonale est surmontée d'un dôme de quarante-neuf mètres de haut. Autour de l'octogone, huit colonnes de marbre soutiennent chacune une statue de femme symbolisant l'art, le commerce, l'histoire, le droit, la philosophie, la poésie, la religion et la science.

Les huit vitraux montrent les sceaux des 48 États (Hawaï et l'Alaska n'en faisaient pas partie à l'époque de la construction). Autour des galeries supérieures, se dressent 16 seize statues de bronze d'hommes incarnant les entreprises humaines. L'art est incarné par Michel-Ange et Beethoven ; le commerce, par Christophe Colomb et Robert Fulton ; l'Histoire, par Hérodote et Edward Gibbon ; le droit, par Solon et James Kent ; la philosophie, par Platon et sir

Francis Bacon ; la poésie, par Homère et Shakespeare ; la religion, par Moïse et saint Paul ; et la science, par Isaac Newton et Joseph Henry.

C'est la statue de Moïse, avec ses cornes, qui amène Langdon à envisager une erreur de traduction dans la Bible de saint Jérôme (Exode, 34 :29). Le passage « son visage rayonnait », parce qu'il avait été en présence de Dieu, avait été traduit par erreur par « il portait des cornes » – d'où les représentations qui suivirent.

La grandeur architecturale et décorative se poursuit dans les autres salles et galeries situées sur les deux étages, notamment la salle des membres du Congrès, la salle de lecture Jefferson, la salle de lecture asiatique, la salle de lecture européenne et le centre traditionnel américain.

La salle de lecture des livres rares et collections spéciales possède un fonds de 650 000 livres et ouvrages, notamment des manuscrits médiévaux, dont trois mille ont été achetés par le Congrès à une collection personnelle comprenant la célèbre Bible de Gutenberg, dont il n'existe que trois exemplaires.

Une grande partie de ces livres rares est exposée à la collection Jefferson. Depuis 1998, la bibliothèque a répertorié les archives, les documents personnels et la correspondance de Jefferson, ainsi que d'autres sources historiques pour dresser une liste des livres originaux du fonds et racheter exactement les mêmes éditions.

VOIR ÉGALEMENT : Thomas Jefferson.

BILLET D'UN DOLLAR

Le dollar est magique. Cet objet du quotidien, fait de papier et d'encre, est truffé de symboles sacrés ou mystiques. Quand Katherine Solomon et Robert Langdon tentent d'échapper à la CIA en taxi dans *Le Symbole perdu*, Katherine sort soudain un billet d'un dollar et entreprend de dessiner au dos une étoile de David par-dessus la pyramide du Grand Sceau et d'inscrire sur chaque branche les lettres du mot « MAÇON ». Cette brève apparition du dollar dans le livre est une allusion à son grand rôle – inconnu pour certains – dans la fondation des jeunes États-Unis.

Bizarrement, il n'est pas nécessaire de remonter à un obscur passé pour révéler les origines du dollar que nous connaissons aujourd'hui. Il fut redessiné en 1935 sous l'administration de Franklin Delanoe Roosevelt à la suite de la crise économique. C'est l'ensemble des acteurs de sa création qui se révèle en être l'aspect le plus mystérieux.

L'un de ces personnages était Nicholas Roerich. D'allure fringante, il avait le crâne rasé et une longue barbe blanche. On disait que ses yeux perçants pouvaient pénétrer votre âme. C'était un émigré russe qui s'était fait une réputation de peintre, de militant pour la paix et de philosophe. Il voyagea abondamment en Extrême-Orient et en Europe, et fut plusieurs fois nommé pour recevoir le prix Nobel.

Roerich était également un grand ami d'un autre membre de ce groupe, Henry Agard Wallace, secrétaire à l'Agriculture de 1933 à 1940 et proche confident de Roosevelt. Wallace était aussi un maçon du trente-deuxième degré, tout comme Roosevelt, et allait devenir le trente-troisième vice-président des États-Unis sous Roosevelt, manquant de peu la nomination à la mandature suprême, qui échut à Harry S. Truman, lui-même maçon de degré élevé. Mais Henry Wallace n'était pas que cela. Il s'intéressait à l'ésotérisme et fraya avec quelques personnages peu recommandables du milieu de l'occultisme. Ce sont ces amitiés et son tempérament naïf, voire influençable, qui causèrent sa disgrâce.

Wallace était un théosophe, disciple des écrits et de la doctrine d'Helena Blavatsky, et c'est ce qui l'amena, avec un intérêt partagé pour les idées rosicruciennes, à faire la connaissance de Roerich. Ce lien entre les deux hommes, beaucoup de chercheurs et partisans de la théorie du complot le tiennent pour essentiel dans la décision de faire figurer les deux faces du Grand Sceau des États-Unis sur le dollar. Wallace prétendit par la suite qu'il avait vu pour la première fois le motif de la pyramide tronquée du Grand Sceau dans une brochure publiée par le gouvernement et l'avait montré à Roosevelt. Francs-maçons, les deux hommes en avaient aussitôt reconnu l'importance symbolique.

Cependant, certains avancent que Roerich pesa sur la décision de Wallace. Les deux hommes se voyaient et s'écrivaient fréquemment ; c'est d'ailleurs leur correspondance, surnommée « Lettres du Gourou », qui faillit mettre un terme retentissant à la carrière de Wallace quand elle se retrouva dans les mains de politiciens et de journalistes républicains.

Les lettres avaient pour en-tête « Cher Gourou » et étaient signées de la lettre « G », initiale de Galahad, sobriquet dont Roerich avait affublé Wallace. Elles révèlent que Wallace était un disciple beaucoup plus dévoué à Roerich qu'il n'y paraissait.

Roerich était sans le moindre doute familier du motif de la pyramide inachevée couronnée par l'œil omniscient, et la voyait comme une représentation, entre autres, du Saint-Graal et de la Pierre du Destin.

Il ne faut pas sous-estimer l'ascendant de Roerich : il était considéré par de nombreux membres de l'élite de Washington et de New York comme un gourou réellement illuminé, et il avait beaucoup d'entregent.

Hormis Wallace et Roerich, retenons Manly P. Hall. Franc-maçon, écrivain et philosophe, il était également influencé par les doctrines de la théosophie et les écrits d'Helena Blavatsky. C'était un ami de la famille Roerich et, pendant une certaine période, il assista à des réunions avec Roerich à New York. Roosevelt était un fan de Hall, au point de faire transférer sur microfiches en 1942 tous ses écrits sur l'occultisme, la philosophie et l'histoire.

Ce sont donc les individus et les croyances qui furent à l'origine du billet d'un dollar.. Mais quels sont les éléments symboliques cachés dans ce billet ?

L'œil au-dessus de la pyramide peut être abordé de différentes manières. Selon la doctrine maçonnique, c'est l'œil de la Providence qui étend sa gloire sur la jeune Nation. Certains y voient un écho de l'antique œil d'Horus égyptien, alors que d'autres l'associent à l'étoile Sirius. Ce qui est clair, c'est que le motif est d'une nature à la fois symbolique et occulte. Reste à savoir si c'était l'intention de départ.

Le symbolisme numérique joue aussi un rôle dans le dollar, le nombre 13 y étant surreprésenté. Ainsi, nous avons 13 étoiles au dos, au-dessus de la tête de l'aigle. Celles-ci sont disposées de telle manière qu'une fois reliées elles forment la silhouette du sceau de Salomon, également connu sous le nom d'étoile de David. L'aigle lui-même tient 13 flèches dans une serre et un rameau d'olivier à 13 feuilles dans l'autre, signifiant par là la capacité du pays à entrer en guerre et à se défendre, ainsi qu'à apporter la paix et la sécurité dans le monde. Sur sa poitrine, l'aigle porte un blason orné de 13 bandes et dans son bec une bannière portant les mots latins « *E pluribus unum* » (De plusieurs un), phrase qui comporte treize lettres. Enfin, chaque aile comporte 13 plumes.

Sur le côté gauche figure la pyramide inachevée qui comporte 13 rangs de maçonnerie. Au passage, notons que la pyramide au sommet du Washington Monument comporte également 13 degrés. Au-dessus se trouve la devise latine « *Annuit coeptis* » (Dieu a favorisé nos entreprises), qui comporte aussi 13 lettres.

On explique l'omniprésence de ce nombre par le fait que les colonies originales fondatrices étaient au nombre de 13 : le New Hampshire, le Massachussetts, Rhode Island, le Connecticut, New York, le New Jersey, la Pennsylvanie, le Delaware, le Maryland, la Virginie, la Caroline du Nord, la Caroline du Sud et la Géorgie.

Cependant, le nombre 13 porte également de nombreuses significations symboliques et mystérieuses. De nos jours, beaucoup considèrent le vendredi 13 comme funeste. Cette superstition, bien que relativement moderne, provient de la date commémorant l'attaque du roi Philippe le Bel contre les Chevaliers du Temple, le vendredi 13 octobre 1307. Le nombre 13 est également associé au Christ : 13 convives assistèrent à la Cène.

C'est également l'âge auquel un enfant entre dans l'adolescence. Dans la tradition juive, c'est pour le garçon l'âge de la bar-mitsva. Il pourrait enfin symboliser la naissance des États-Unis, l'aube de la nouvelle République indépendante.

Notons un détail intéressant : c'est au centre absolu du billet que se trouve l'œil droit de George Washington. Comme pour imiter l'œil de la Providence planant au-dessus de la pyramide de l'autre côté. Comme le note David Ovason dans *Les Symboles secrets du dollar :*

« Le symbolisme est évident : ces associations suggèrent que Washington doit être considéré symboliquement comme une sorte de demi-dieu. En esprit, il veille sur la destinée de la Nation américaine, tout comme l'œil de la Providence veille sur celle du monde. »

Le billet d'un dollar déborde de symboles et de significations ésotériques que ce simple article ne pourrait embrasser entièrement.

Un détail sur le billet d'un dollar passe souvent inaperçu. Il se trouve sur l'endroit, là où apparaît le portrait de Washington. Vous remarquerez peut-être le chiffre 1 placé dans un écusson dans le coin supérieur droit. Si vous examinez le coin supérieur gauche de l'écusson, apparaît dans son indentation une minuscule forme presque imperceptible. De quoi s'agit-il ?

Si vous scannez un dollar et agrandissez cette partie, vous découvrirez quelque chose qui ressemble à une minuscule chouette (certains parlent plutôt d'une araignée). Cette image a suscité quantité de controverses et de débats, surtout chez les partisans de la théorie du complot qui voient dans la chouette une ressemblance avec le dieu Moloch, divinité cananéenne que l'on représentait souvent sous la forme de cet oiseau.

La chouette est également la mascotte et l'emblème d'un club de gentlemen, le Bohemian Grove, situé à Monte Rio, en Californie. Ce club exclusivement masculin a compté parmi ses membres des Présidents américains ainsi que divers capitaines de la finance et de l'industrie.

Une fois par an, à Bohemian Grove, les membres participent à une cérémonie appelée Cremation of Care (Incinération des soucis), durant laquelle des offrandes sont faites à une statue de douze mètres de haut représentant une chouette, qui se dresse au bout du lac de la propriété. La cérémonie se termine par l'embrasement des pieds de la statue. Tout cela a été filmé par le présentateur de radio Alex Jones en 2000. Il prétendit que la cérémonie était de nature satanique et que les États-Unis étaient dirigés par une coterie d'adorateurs de Satan et d'adeptes de la magie noire.

Dans *Le Symbole perdu*, le nom de Mal'akh rappelle celui de Moloch. Peut-être Dan Brown fait-il là une référence discrète à cette controverse.

Bien entendu, cette petite silhouette pourrait très bien être une rature de la main du graveur, et c'est l'explication rationnelle généralement donnée.

La prochaine fois que vous aurez en main un dollar, prenez le temps d'examiner soigneusement le billet. Il contient des messages cachés, un symbolisme sacré et de mystérieux éléments. C'est une vraie merveille magique.

VOIR ÉGALEMENT : Grand Sceau des États-Unis, George Washington.

BOAZ ET JACHIN

Dans *Le Symbole perdu*, le personnage de Mal'akh porte de nombreux tatouages. Les deux qui ornent ses jambes sont donnés comme des représentations de Boaz et Jachin, les colonnes associées au site du Temple de Salomon, à Jérusalem. Ces colonnes apparaissent dans deux ensembles distincts de mythologies, respectivement biblique et maçonnique.

Étymologiquement, Jachin signifie en hébreu « établir » et Boaz « force ». Certains érudits voient une relation métaphorique entre le roi Salomon, représenté par Jachin, et le roi David, représenté par Boaz. D'autres voient en Boaz la représentation du grand-père du roi David et en Jachin un certain grand prêtre. Ces deux colonnes semblent ensuite être devenues les représentations symboliques de la prêtrise (Jachin) et de la royauté (Boaz).

Cependant, ce qui est certain, c'est que ces deux colonnes marquaient l'entrée est du Temple de Salomon, Jachin à droite et Boaz à gauche. Selon certaines traductions de la Bible, les colonnes étaient faites de cuivre, d'autres parlent de bronze ou d'airain. Leur édification a peut-être été influencée par l'Égypte, où elles marquaient l'entrée des temples, ou par leur utilisation dans les temples romains du Levant.

Dans les Chroniques II (3 : 15-17), il est dit :

« Il fit devant la maison deux colonnes de trente-cinq coudées de hauteur, avec un chapiteau de cinq coudées sur leur sommet. Il fit des chaînettes comme celles qui étaient dans le sanctuaire, et les plaça sur le sommet des colonnes, et il fit cent grenades qu'il mit dans les chaînettes. Il dressa les colonnes devant le temple, l'une à droite et l'autre à gauche ; il nomma celle de droite Jakin, et celle de gauche Boaz. »

Dans les Chroniques II (4 : 13-17), la décoration des colonnes est décrite ainsi :

« Les quatre cents grenades pour les deux treillis, deux rangées de grenades par treillis, pour couvrir les deux bourrelets des chapiteaux sur le sommet des colonnes ; les dix bases, et les dix bassins sur les bases ; la mer, et les douze bœufs sous elle ; les cendriers, les pelles et les fourchettes. Tous ces ustensiles que le roi Salomon fit faire à Huram-Abi pour la maison de l'Éternel étaient d'airain poli. Le roi les fit fondre dans la plaine du Jourdain, dans un sol argileux, entre Souc-coth et Tseréda. »

Cependant, dans Rois II (25 :17), apparaît une diffé-rence concernant la dimension des colonnes :

« La hauteur d'une colonne était de dix-huit coudées, et il y avait au-dessus un chapiteau d'airain dont la hauteur était de trois coudées ; autour du chapiteau il y avait un treillis et des grenades, le tout d'airain ; il en était de même pour la seconde colonne avec le treillis. »

Dans Jérémie (52 :17), on retrouve ces colonnes pour la dernière fois, au moment où elles sont abattues et trans-portées à Babylone.

La franc-maçonnerie s'est édifiée sur ces deux colonnes, Boaz et Jachin. Le rôle qu'elles jouent dans les cérémonies, les mystères et les rituels des loges est fondamental, et le symbolisme qui s'y rattache est reconnu. Elles sont présentes dans toutes les loges maçonniques du monde, mais leur emplacement n'est pas codifié ni uniforme.

Dans *Le Symbole perdu*, les tatouages de Boaz et Jachin sur les jambes de Mal'akh sont décrits ainsi : « Sa jambe gauche était ornée d'une spirale, et la droite de stries verticales. *Boaz et Jachin.* » Quel est le sens de cette phrase ?

Il semble qu'il s'agisse d'une allusion à un lieu que Dan Brown a exploré en détail dans le *Da Vinci Code* : la chapelle de Rosslyn. Les tatouages de Mal'akh représentent les deux colonnes de cette chapelle : la colonne de l'apprenti, avec son magnifique motif sculpté en spirale, censé représenter la colonne de Boaz ; et la colonne du maçon, avec ses striures, censée représenter Jachin. Ces deux colonnes richement ornées forment le cœur de l'un des mythes les plus enracinés de la chapelle de Rosslyn et sont considérées par nombre de francs-maçons comme les représentations de Boaz et Jachin dans une chapelle qui est elle-même une émanation du Temple de Salomon.

Dans certains textes maçons, les colonnes sont dites respectivement « de feu » et « de nuages ».

VOIR ÉGALEMENT : Franc-maçonnerie, Temple de Salomon.

BRUMIDI, CONSTANTINO

Constantino Brumidi est l'auteur de la fresque centrale du Capitole, *L'Apothéose de Washington*, qui orne le plafond du dôme. Elle reste l'un des meilleurs exemples de peinture académique en Amérique.

Né à Rome en juillet 1805 d'un père grec originaire du Péloponnèse et d'une mère italienne, Brumidi étudia à la prestigieuse Academia di San Luca après avoir montré dès son plus jeune âge des dispositions pour l'art. L'Académie tient son nom de saint Luc qui, étant supposé avoir peint la Vierge Marie, fut adopté comme patron de la guilde des peintres. Fondée en 1593, elle s'enorgueillit d'avoir formé de nombreux grands artistes, peintres, sculpteurs et architectes.

Après avoir quitté l'Académie, Brumidi entreprit de faire carrière à Rome. Son prodigieux talent fut reconnu et il bénéficia de la protection du pape Grégoire XVI, qui lui confia la restauration de fresques au Vatican et de la loggia de Raphaël. Un conflit avec le secrétaire d'état papal sur des questions politiques mit un terme au travail de Brumidi au Vatican, et il fut engagé par le prince Torlonia. Plus tard, en 1847, il travailla pour le pape Pie IX, dont il peignit un portrait en pied qui confirma sa popularité.

La carrière de Brumidi semblait toute tracée. Il continuait d'attirer la clientèle des riches aristocrates, mais soudain une fièvre révolutionnaire s'empara de Rome et son univers se trouva bouleversé.

Le 15 novembre 1848, Pellegrino Rossi, ministre de la Justice des États du Pape, fut assassiné. Sa mort fut suivie d'émeutes réclamant un gouvernement démocratique. Le pape s'enfuit et une république fut instaurée. Brumidi se rangea aux côtés des révolutionnaires et ce fut le début de sa chute.

Aidé de plusieurs puissances européennes, le pape reprit le pouvoir. Brumidi fut arrêté en 1851 et – accusé d'avoir participé au soulèvement – condamné à dix-huit ans de réclusion. Peu après, le pape Pie IX lui accorda sa grâce à condition qu'il quitte définitivement l'Italie. C'est ainsi que Brumidi, son épouse Anna et leurs deux enfants partirent pour New York.

Il acquit la nationalité américaine en 1852 et exécuta une fresque dans l'église Est Stephen à New York avant de travailler à Baltimore puis au Mexique.

En rentrant du Mexique en 1854, il s'arrêta à Washington. Très impressionné par l'architecture de la ville et notamment par le Capitole, il chercha à rencontrer le capitaine Montgomery C. Meigs, ingénieur en chef du bâtiment, et lui proposa ses services pour décorer les nombreux espaces vides du Capitole.

Meigs était un personnage controversé, et beaucoup pensaient que cette fonction n'aurait pas dû être occupée par un ancien militaire. Il réussit à irriter nombre des artistes de l'époque et des pétitions au Congrès exigèrent sa démission. Cependant, Meigs était un visionnaire résolu à faire du Capitole le plus grand monument national de la République..

Kent Ahrens, dans son *Histoire de la peinture du XIXᵉ siècle et du Capitole*, raconte ainsi comment Brumidi se tailla une réputation à Washington :

« Bien que médiocre, Brumidi était un peintre de fresques et, en tant que tel, il possédait un savoir-faire qu'aucun artiste américain ne détenait. Peut-être avait-il aussi en lui les balbutiements d'un rêve : tout comme Michel-Ange avait consacré la dernière partie de sa vie à magnifier la basilique Saint-Pierre, Brumidi lui aussi se consacrerait à la nouvelle cathédrale de la liberté, le Capitole des États-Unis. Il proposa ses services à Meigs pour décorer les murs et les plafonds de fresques. »

C'est ainsi qu'il fut demandé à Brumidi de contribuer à une série de fresques dans la House Committee Room on Agriculture, en 1855. Meigs écrivit : « Cela permettra au Congrès de voir un échantillon du meilleur style de décoration architecturale. » Le résultat attira beaucoup l'attention et permit à Brumidi de travailler au Capitole pendant les vingt-cinq années suivantes.

En 1856, il commença à produire les esquisses des Corridors Brumidi. L'architecte du Capitole, Thomas Walter, avait à l'origine conçu ces couloirs avec une décoration simple destinée à accueillir des tableaux. Le capitaine Meigs voyait les choses d'un autre œil. Puisque Brumidi avait l'expérience de la restauration de la loggia de Raphaël au Vatican, il demanda à l'artiste italo-américain de faire des propositions plus ambitieuses. Armé d'une équipe d'assistants, Brumidi transforma les couloirs à sa façon, tels qu'on peut encore les admirer aujourd'hui. Il y consacra une grande partie des années 1850 à 1870.

Dès 1859, Brumidi peignit une esquisse à l'huile de *L'Apothéose de Washington*, alors que cette fresque ne lui fut commandée qu'en 1863. On tient là la preuve de son désir ardent de marquer de son empreinte la plus emblématique des institutions de sa patrie d'adoption.

Il continua de travailler à l'intérieur du Capitole longtemps après avoir achevé *L'Apothéose de Washington*, poursuivant la décoration des couloirs et des nombreuses salles de l'aile sénatoriale. En 1879, à soixante-quatorze ans, sa santé déclinant, Brumidi souffrait de crises fréquentes d'asthme et de graves diarrhées. Pour ne rien arranger, les conditions de travail étaient pour le moins exténuantes. Barbara A. Wolanin, auteur de *Constantino Brumidi, artiste du*

Capitole, raconte ainsi les journées que devait affronter le fragile et vieillissant artiste :

« [...] ce merveilleux vieillard doit quotidiennement gravir un échafaudage de vingt-quatre mètres de haut, passer par une fenêtre et descendre une échelle de huit mètres pour parvenir au minuscule espace où il travaille. Il est si âgé et si faible qu'il a besoin d'aide pour le gagner, et on imagine sans peine l'épuisement que représente le simple trajet aller-retour. D'ailleurs, quand il fait mauvais temps, il ne peut tout simplement pas y aller du tout. »

Pour lui ménager un certain confort, un siège fut installé en haut du précaire échafaudage. En octobre 1879, Brumidi en tomba et les conséquences furent presque fatales. Toujours selon la même source :

« [...] alors qu'il se trouvait au bord de l'échafaudage provisoire, la chaise bascula sous lui et le renversa ; il saisit le barreau d'une échelle et y resta suspendu à la force des bras pendant un quart d'heure, le temps que l'officier Lammon descende du haut du dôme et appelle deux hommes en bas pour qu'ils l'aident à le sauver ».

Brumidi se remit de cet accident − en fait, il travailla dès le lendemain sur le même échafaudage − mais sa santé déclina tant qu'il ne vit jamais la frise achevée. Il finit confiné chez lui au début de l'hiver et mourut en février 1880.

Aujourd'hui, un buste de Brumidi trône dans les couloirs de Brumidi, hommage aux longues années qu'il consacra à l'embellissement des nombreux corridors et salons du Capitole. Il exécuta dans le bâtiment plus d'œuvres qu'aucun autre artiste.

Brumidi signait fièrement : « C. Brumidi : artiste citoyen des États-Unis ». Son pays d'adoption est certainement aussi fier de lui et de ses œuvres qu'il l'était d'être américain.

VOIR ÉGALEMENT : *L'Apothéose de Washington*, Capitole.

CAPITOLE

Les États-Unis sont souvent représentés par le Capitole, son dôme blanc se découpant sur le ciel. C'est un emblème américain aussi célèbre que la bannière étoilée. Pourtant, rares sont ceux qui, n'en ayant vu que la façade, connaissent les merveilles qu'il recèle et la complexité de ce vaste bâtiment.

Ce n'est pas seulement un musée rempli d'œuvres d'art et de trésors, c'est aussi un bâtiment où le Congrès siège quotidiennement et où travaille le gouvernement fédéral américain.

Difficile d'imaginer que le siège du gouvernement se trouve ailleurs qu'au Capitole et à Washington. D'extraordinaires efforts furent pourtant mis en œuvre pour édifier ce qui est devenu le cœur d'une nation. Si la victoire fut acquise par la guerre d'Indépendance en 1781, il fallut attendre 1789 pour former ce qui se nomme aujourd'hui le Congrès des États-Unis. Le tout jeune Congrès siégea d'abord à New York, puis fut déplacé à Philadelphie après deux sessions seulement. Une loi de 1790, le Residence Act, envisagea d'établir une nouvelle capitale pour les États-Unis et, après de nombreux débats, un compromis fut trouvé, et un site choisi au bord de la rivière Potomac, dans la région appelée District of Columbia. Les représentants de New York et de Philadelphie protestèrent, désireux qu'ils étaient de conserver le siège du gouvernement. Philadelphie continua de l'abriter temporairement le temps que soit achevé le Capitole à Washington. Le Residence Act stipulait que le Président, George Washington, assurerait l'achèvement de la construction avant décembre 1800.

La conception de la nouvelle capitale commença activement sous la férule de George Washington, avec à sa tête Pierre L'Enfant, architecte d'origine française et ancien combattant de la guerre d'Indépendance. Les plans finaux du futur Washington DC furent présentés et validés le 19 août 1791 ; ils stipulaient l'emplacement du Capitole et de d'autres bâtiments fédéraux, dont la Maison-Blanche.

Tout comme un tableau bénéficie d'un cadre en harmonie avec sa beauté, le Capitole devait être édifié au cœur d'un ensemble de panoramas et d'avenues convergeant vers ce qui s'appelait à l'époque Jenkin's Hill. Dans une lettre à George Washington, L'Enfant écrivit que cette colline encore vierge était « un piédestal en attente d'un monument ».

Bien que l'emplacement du Capitole ait été choisi, aucun plan n'existait encore pour le bâtiment lui-même. Le nom de « Capitole » ayant été préféré à « Chambre du Congrès », Jenkin's Hill fut renommée Capitol Hill, ou colline du Capitole, en référence à la colline romaine.

En 1792, L'Enfant se fâcha avec George Washington et quitta ses fonctions.

L'ironie de l'histoire veut que les plans de cet édifice majeur aient été décidés à l'issue d'un concours doté d'un prix de cinq cents dollars ! Quand on considère les projets concurrents de l'époque, on se demande ce qui serait arrivé si l'on avait choisi l'un d'entre eux : nous pourrions aujourd'hui contempler un aigle géant perché sur un piédestal...

Le projet qui remporta les suffrages fut celui du Dr William Thornton, médecin et architecte doué, bien qu'amateur. Celui-ci reçut le prix et un terrain dans la ville en récompense. Bien que son idée ait été considérablement modifiée et adaptée au cours des années, il est bel et bien le concepteur du bâtiment qui se dresse aujourd'hui dans la capitale américaine. Le site de Jenkin's Hill adopté et les fondations creusées, la première pierre fut posée le 18 septembre 1793, lors d'une grande cérémonie présidée par nul autre que George Washington, non seulement en tant que chef d'État mais aussi en tant que grand maître maçon, dont il portait la tenue d'apparat. Après la cérémonie, une plaque en argent fut placée dans la tranchée où devait être posée la première pierre. Il y était écrit ceci :

« Cette première pierre de l'angle sud-est du Capitole des États-Unis d'Amérique a été posée en la cité de Washington le dix-huitième jour de septembre, la treizième année de l'Indépendance américaine, première du deuxième mandat présidentiel de George Washington, dont les vertus dans l'administration civile de son pays ont été aussi remarquables et bienfaisantes que sa valeur et sa prudence militaires ont été utiles dans l'établissement de ses libertés, et en l'an maçonnique 5793, par la Grande Loge de Maryland, plusieurs loges dépendant de sa juridiction, et la Loge 22 d'Alexandria, en Virginie. »

Malgré les problèmes récurrents – manque de main-d'œuvre et difficultés financières –, l'aile sénatoriale fut achevée en 1800 et, bien que le bâtiment fût encore largement en travaux, le Congrès américain y tint sa première session en novembre de la même année. L'Union comptait alors 16 États.

George Washington étant mort l'année précédente, son successeur le Président John Adams prononça le premier discours sous le Capitole :

« Il serait indigne des représentants de cette nation de se rassembler pour la première fois dans ce *temple solennel* sans lever leur regard vers le Maître suprême de l'Univers et implorer sa bénédiction. Que ce territoire soit la demeure de la vertu et du bonheur ! Que soient toujours vénérées dans cette cité, piété et vertu, sagesse et magnanimité, constance et indépendance,

72

qui animèrent le grand personnage dont elle porte le nom ! Ici comme dans tout notre pays, que fleurissent éternellement manières simples, morale pure et religion sincère ! »

C'était un discours rempli de promesses, mais en vérité le Capitole était loin d'être terminé. L'aile prévue pour la Chambre des Représentants ne sera tout à fait prête qu'en 1811. La portion centrale qui devait être couronnée par le dôme était restée intacte depuis le creusement des fondations vingt ans plus tôt.

En cette année 1812, qui marque le début de la guerre anglo-américaine, Benjamin Latrobe était responsable de la construction. En tant qu'intendant des bâtiments publics des États-Unis, il était le quatrième architecte chargé du Capitole. Le projet avançait bien, mais la déclaration de la seconde guerre d'Indépendance avec l'Angleterre menaça d'anéantir tous les progrès accomplis au cours des vingt dernières années.

L'armée anglaise s'empara de Washington en août 1814, et l'amiral anglais George Cockburn ordonna de mettre le feu aux nombreux bâtiments fédéraux. Bien que l'intérieur du Capitole ait été pratiquement détruit, la structure resta debout. Cependant, une grande partie des travaux des deux décennies précédentes était anéantie.

Latrobe revint en 1815 à Washington, après la guerre, avec pour mission de reconstruire le bâtiment. Cette fois, il lui fut accordé plus de liberté et il put modifier le plan à sa convenance. Il élabora un nouveau dôme à la place de celui prévu par Thornton, mais il ne parvint pas à ses fins. En 1817, il démissionna, dépité d'être tenu pour responsable de la lenteur des travaux au point de piquer une colère devant le Président James Monroe.

C'est ainsi que Charles Bullfinch prit sa succession. Sous sa gouverne, le Capitole fut achevé en 1829 – trente-six ans après la pose de la première pierre. Le Capitole était désormais doté d'un dôme en bois et en cuivre. À l'intérieur se trouvait une rotonde reproduisant les dimensions et la grandeur du Panthéon de Rome, qu'on avait pourvue d'un oculus.

Durant les vingt années suivantes, de 1830 à 1850, les travaux intérieurs se poursuivirent, mais l'extérieur du bâtiment demeura tel que l'avait laissé Bullfinch.

On commença d'aménager sous la rotonde une crypte pour George Washington en prévision du centenaire de sa naissance en 1832. Cependant, au dernier moment, l'héritier du Président refusa le transfert de ses cendres au Capitole afin de ne pas contrevenir aux dernières volontés du défunt. C'est ainsi que ce tombeau devint un débarras.

Déçu par la tournure des événements, le Congrès chercha une autre manière de rendre hommage à Washington et opta pour une statue de marbre. Le sculpteur Horatio Greenough fut mandaté, et le résultat représente George Washington sous les traits de Zeus, assis, torse nu, désignant les cieux, pointant une épée dégainée sur le spectateur.

La statue achevée – véritable exploit avec ses vingt tonnes – fut placée dans la rotonde en 1841, mais elle ne resta au Capitole que deux ans. Le public, scandalisé par cette représentation de son Père fondateur chéri, la fit retirer et elle se trouve désormais au muséum d'histoire Smithsonian. Si le peuple était heureux de considérer que feu Washington était divin, il semble qu'il n'était pas prêt à le voir au quotidien sous ces traits, du moins pas d'aussi près.

Dans son *Histoire du Capitole des États-Unis*, William C. Allen raconte que Charles Bullfinch résuma avec un étrange mélange d'indignation et d'amusement l'état d'esprit de ses compatriotes dans une lettre à son fils :

« Je crains que cela ne provoque une grande déception – c'est peut-être une œuvre exquise, mais notre peuple ne sera guère heureux de contempler ce torse musclé alors qu'il souhaite voir ce grand homme tel que leur imagination le leur dépeint... Je ne suis pas convaincu que la sculpture soit adaptée à des sujets modernes ; le costume présente d'insurmontables difficultés... Et à présent, je crains que cela ne puisse donner que l'idée d'aller prendre un bain. »

Dans *Le Symbole perdu*, Robert Langdon fait référence à une statue quand il dit que la main tranchée de Peter Solomon, levée vers le ciel, n'est pas la première image du même genre qui ait orné la rotonde. Quand la statue de Washington y fut installée, cependant, la célèbre fresque de *L'Apothéose de Washington*, que désigne la main de Peter Solomon, n'avait pas encore été imaginée.

C'est ainsi que se termina le premier chapitre de l'histoire du Capitole.

La croissance du pays dans les années 1850 imposa d'agrandir le bâtiment. N'ayant tiré aucune leçon des premiers déboires du Capitole, le Sénat proposa un autre concours en publiant dans les journaux locaux l'annonce suivante :

« Les plans et devis de l'agrandissement du Capitole doivent suivre cette alternative : soit l'ajout d'ailes au nord et au sud du bâtiment actuel, soit la construction d'un nouveau bâtiment séparé et distinct au sein de l'enceinte à l'est du bâtiment. »

Après de longs débats, en mai 1851, Thomas U. Walter devint le nouvel architecte du Capitole. Son projet devait modifier le bâtiment à jamais, en concevant l'une des constructions les plus reconnaissables du monde. Sous la férule de Walter, le Capitole tripla de volume. Il ajouta le dôme que nous voyons aujourd'hui en remplacement de la structure en bois et en cuivre de Bullfinch au moyen d'une grandiose construction en fer et en pierre deux fois plus haute que l'originale.

La première date mentionnée par Walter pour les travaux du nouveau dôme est mai 1854. Nous savons qu'il s'inspira de la cathédrale Saint-Paul de Londres, mais aussi de la basilique Saint-Pierre de Rome et du Panthéon de Paris. S'il fut le concepteur du dôme actuel, il n'était pas chargé de la construction et ne travailla pas seul. Le capitaine M. C. Meigs avait été nommé ingénieur responsable de toute la rénovation du Capitole en 1853 et, malgré nombre de différends, querelles et rancunes, les deux hommes collaborèrent. Meigs, qui avait un don exceptionnel pour l'administration et l'œil pour les détails, porta le projet, souvent à bout de bras.

Sous l'œil vigilant de Meigs, le Capitole acquit une beauté remarquable, à l'extérieur comme à l'intérieur qui bénéficia d'un soin tout particulier. Il supervisa les plafonds de verre et d'acier, installa d'exquises sculptures de marbre et engagea les artistes les plus talentueux pour exécuter de magnifiques salles et couloirs. L'un d'eux était Constantino Brumidi, auteur de la fresque *L'Apothéose de Washington*.

Il faudrait plusieurs livres pour décrire en détail les myriades d'ornements des salles du Capitole, dont le moindre centimètre est orné avec goût. Pourtant, le Capitole continue d'évoluer.

Afin de fournir une entrée réservée aux touristes ainsi que tous les aménagements nécessaires pour correspondre aux attentes de ses visiteurs, un nouveau centre touristique y a été ajouté en 2000. Il est mentionné dans *Le Symbole perdu*, quand Langdon arrive au Capitole pour donner sa conférence.

Dan Brown écrit qu'autrefois une flamme brûlait en continu dans la crypte ; cependant, s'il est vrai que le sol de la rotonde fut temporairement ouvert pour permettre de voir la crypte, c'était uniquement pour permettre aux visiteurs d'admirer le tombeau de Washington. Vivien Green Fryd en décrit la fermeture dans son livre *Art et Empire : la politique ethnique au Capitole*.

« En prévision du transfert des cendres de Washington au sous-sol du Capitole, les ouvriers laissèrent une ouverture circulaire d'environ trois mètres de diamètre au centre du sol de la rotonde, pour permettre aux visiteurs de voir dans la crypte une statue de Washington qui devait trôner au-dessus de sa sépulture. En 1828, le Congrès ordonna le comblement de cette ouverture, car l'humidité qu'elle dégageait abîmait les peintures de John Trumbull qui se trouvaient sur les parois de la rotonde. »

Rien ne prouve l'existence de la flamme mentionnée dans *Le Symbole perdu*. L'étoile sur le sol de la crypte marque cependant le point à partir duquel les rues de la ville ont été tracées.

À la fin du roman, Robert Langdon et Katherine Solomon, allongés sur le dos, méditent la signification de *L'Apothéose de Washington* et la devise qui l'orne : « *E pluribus unum* », « De plusieurs, un ». Nous commençons à nous demander, et ce pour la énième fois, ce que les grands hommes qui édifièrent ce bâtiment avaient en tête.

Dans *La Porte de la Liberté*, William Henry et Mark Gray soutiennent l'idée que le Capitole, siège du gouvernement des États-Unis, est en fait le temple du peuple, un lieu d'illumination ouvert à chacun :

« Le Capitole américain est-il en fait un temple ? En recherchant une réponse à cette question, nous avons découvert que c'était bien le cas. Au cœur de ce temple civique vivant et en constante évolution se trouve la vision illuminée de la Liberté de Jefferson en tant que nouvelle religion séculière de la Lumière. L'imposante Capitol Hill est une colline dans la tradition des éminences sacrées. Le temple qui la couronne émerge comme le temple de l'Illumination et de la Transformation qui utilise des principes architecturaux sacrés

77

et un symbolisme spirituel pour créer un lieu magnifique où s'unissent Ciel et Terre. Par définition, c'est une porte, une porte des étoiles, pour user d'un terme du XXIᵉ siècle. »

Il ne fait guère de doute que le Capitole fut construit avec autant d'implication et de soin que les plus belles cathédrales du Moyen Âge. Beaucoup s'y recueillent comme dans un lieu de culte et sont extrêmement émus de se trouver dans la rotonde. Certains pourraient dire qu'il s'agit d'une réaction normale du visiteur face au poids de l'Histoire, mais ce n'est pas tout. Le Capitole a été méticuleusement sculpté pour exalter la transcendance. Henry et Gray rappellent la longue lignée d'édifices sacrés comme le Temple de Salomon et le Panthéon de Rome, dans laquelle s'inscrit véritablement le Capitole :

« L'Amérique est l'endroit où les réfugiés politiques et religieux d'Irlande, de France, d'Allemagne, d'Italie et d'autres pays d'Europe vinrent trouver un asile et une vie meilleure, libérée de la tyrannie et des persécutions religieuses ou civiles. Ils cherchaient la liberté religieuse. Beaucoup soutinrent avec passion leurs dirigeants qui souhaitaient fonder une "cité sur une colline" ou une "sainte manifestation" : une nouvelle Jérusalem. »

Le passé, le présent et l'avenir sont fondus en un seul monument érigé en hommage à l'amour de l'humanité pour les mystères de l'univers et de l'inconnu.

VOIR ÉGALEMENT : *L'Apothéose de Washington*, sir Francis Bacon, Constantino Brumidi, Pierre L'Enfant.

4	9	2
3	5	7
8	1	6

CARRÉS MAGIQUES

Pour un spécialiste des symboles comme Robert Langdon, résoudre des énigmes et déchiffrer des codes est une seconde nature. Fait intéressant, le père de Dan Brown était mathématicien et le romancier a souvent raconté qu'il lui donnait des codes à déchiffrer dans son enfance. Tout comme nous nous distrayons aujourd'hui avec des mots croisés ou des sudokus, pendant des siècles les gens se sont amusés à manipuler des nombres. Ce que l'on nomme les « carrés magiques » se retrouve dans de nombreuses civilisations, et leur ingéniosité est fascinante à plusieurs titres.

Dans un carré magique, la somme des nombres obtenue verticalement, horizontalement et diagonalement est identique. La complexité peut en être accrue en ajoutant une dimension supplémentaire ou en considérant la grille comme un cube. Les nombres utilisés pour créer le carré sont généralement séquentiels ; par exemple, dans une grille de 3 x 3, les nombres seront la suite 1-9.

Le carré Lo Shu est estimé remonter à environ 650 avant J.-C. et c'est une grille 3 x 3 (« ordre 3 ») où tous les axes donnent la somme de 15. Dans la littérature chinoise, la légende du carré Lo Shu parle d'une série de grilles contenant des points que l'on pouvait voir sur le dos d'une tortue de la rivière Lo.

Le Kubera Kolam est une variation du Lo Shu, dans laquelle 19 a été ajouté à chaque nombre, si bien que les nombres utilisés sont la suite 20-29 et que le total est 72. Le Kubera Kolam, mentionné par Dan Brown dans son roman, est aussi un motif communément dessiné sur le sol des maisons en Inde pour apporter la prospérité.

Les carrés magiques envahissent le monde arabe à partir du Xe siècle. Une encyclopédie d'origine irakienne présente les premiers exemples de grilles d'ordres 5 et 6. Le *Rasa'il Ikhwan al 'Safa*, nom de cette encyclopédie, était lié à un groupe connu sous le nom de Frères de la Pureté. Le chercheur franc-maçon Chris McClintock, dans sa thèse *Le Soleil de Dieu*, a récemment avancé que ces frères rassemblaient les enseignements anciens et la franc-maçonnerie moderne.

Le premier carré magique que rencontre Langdon dans *Le Symbole perdu* est la grille d'ordre 4 représentée par Albert Dürer dans la gravure *Mélancolie I*. Dans ce carré, se trouve la date de l'œuvre, 1514, dans deux carrés voisins du rang inférieur.

Heinrich Cornelius Agrippa, écrivain ésotérique de la Renaissance, publia son *De occulta philosophia* entre 1509 et 1510 ; et dans les trois livres qui la composent, il présenta une série de carrés magiques. Contrairement aux opinions modernes selon lesquelles l'occulte et la magie vont à l'encontre de la religion, Agrippa considérait que c'était la meilleure manière pour l'homme de connaître Dieu et la nature. Dans le troisième livre de son *De occulta philosophia*, il révèle que le nom de Jésus contient le pouvoir du tétragramme.

Agrippa fabriqua une série de carrés magiques, chacun lié à une planète, et nommés kameahs. Une nouvelle couche de mystère est rajoutée quand un nom ou un mot est traduit en nombres et que sa forme est dessinée autour de la position des nombres du kameah. Le motif qui en résulte, lorsqu'il est produit dans un but magique, est un exemple de sigille, symbole fait de différents éléments mystiques. Nous apprenons dans *Le Symbole perdu* que le personnage de Mal'akh en a un certain nombre tatoués sur le corps.

Benjamin Franklin fabriqua une grille d'ordre 8 qui constitue une énigme centrale dans *Le Symbole perdu* et permet à Robert Langdon de résoudre l'arrangement de soixante-quatre symboles formant la carte qui indique l'emplacement du symbole « perdu ». La grille de Franklin donne la somme de 260 verticalement et horizontalement. Contrairement aux carrés magiques classiques, la diagonale ne donne pas 260. Cependant, les rangées que composent huit carrés voisins donnent ce total.

On comprend qu'il est fait allusion au carré mathématique de Franklin, car l'indice « 8 Franklin Square » qui pourrait indiquer une adresse, désignerait alors l'Almas Shrine Temple, bâtiment d'un groupe maçonnique nommé les Shriners, situé en face de Franklin Square à Washington.

Franklin écrivit : « J'ai été enclin à m'amuser à la fabrication de carrés magiques ou cercles », afin de tenter de soulager son ennui. Étant donné ses nombreux autres exploits, il y a de quoi se demander où il trouvait du temps libre, mais Franklin est célèbre pour avoir également créé un carré magique d'ordre 16, entreprise phénoménale. Il écrivit dans une lettre :

« Étant un jour à la campagne à la demeure de notre ami commun, l'érudit M. Logan, il me montra un livre français rempli de carrés magiques, œuvre, si je me souviens bien, d'un M. Fenicle. Il ne se rappelait pas qu'aucun Anglais se fût distingué de même manière. »

Cela explique-t-il que la couverture anglaise du *Symbole perdu* ne présente pas le carré magique qui figure au dos de l'édition américaine ?

Sur une réplique du carré de Dürer que Brown cite, se trouve le message : « Ton esprit est la clef ». Si l'on considère la discussion des dernières pages entre Robert Langdon et Katherine Solomon sur le pouvoir de l'esprit humain et de l'homme qui reçoit l'illumination, voilà qui apparaît comme un message important aux yeux de Dan Brown.

VOIR ÉGALEMENT : Albert Dürer, Benjamin Franklin, *Mélancolie I*, Shriners.

CATHÉDRALE NATIONALE DE WASHINGTON

Ayant échappé à la CIA, Robert Langdon et Katherine Solomon filent vers la cathédrale nationale de Washington, où ils ont été envoyés par l'énigmatique vieillard qui leur a indiqué un refuge contenant dix pierres du mont Sinaï, dont « une venant du Ciel lui-même » et « une portant le visage du sombre père de Luke ».

Située sur un site de vingt-trois hectares, la magnifique cathédrale nationale de Washington a nécessité quatre-vingt-trois ans de travaux après la pose de sa première pierre par le président franc-maçon Theodore Roosevelt en 1907. La pierre venait de Bethléem. La construction (65 millions de dollars) fut financée par des dons publics, tout comme son entretien aujourd'hui. Basée sur des plans de l'architecte anglais George Frederick Bodley, partisan du néo-gothique, la cathédrale épiscopalienne est consacrée à saint Pierre et saint Paul.

À la mort de Bodley en 1907, suivie dix ans plus tard de celle de son architecte en chef Henry Vaughan, les travaux furent confiés à l'architecte américain Philip Frohman. Il continua dans l'esprit de Bodley, le modifiant selon la nécessité. Aujourd'hui, la cathédrale nationale de Washington est la sixième plus grande cathédrale du monde : elle peut accueillir quatre mille personnes. Sa travée centrale, orientée d'est en ouest, mesure 157 mètres de long pour une hauteur de 70 mètres, et sa tour centrale mesure l'équivalent de trente étages. Si l'on prend en compte l'altitude du site, la tour atteint la hauteur totale de 206 mètres au-dessus du niveau de la mer, ce qui en fait le point le plus élevé de Washington DC.

Les deux tours symétriques de la façade ouest sont décorées de pas moins de 288 anges, tandis que, se dressant au milieu de la nef, l'énorme clocher, la tour *Gloria in excelsis*, abrite 53 carillons et 10 cloches, un ensemble unique aux États-Unis.

Construite dans le style néo-gothique, la cathédrale nationale de Washington possède tous les éléments traditionnels : arcs-boutants, arches, voûtes, pierres sculptées, vastes vitraux et rosaces. Les gargouilles et les grotesques sont un élément architectural typique du gothique et la cathédrale nationale de Washington ne fait pas exception à la règle, qui en compte cent douze. Gargouilles et grotesques, sculptures de monstres, de personnages ou d'animaux difformes ont pour fonction d'éviter que l'eau stagne sur le bâtiment : les gargouilles sont munies d'une canalisation, mais pas les grotesques, sur lesquelles l'eau rejaillit naturellement. On les trouve sur la façade et les côtés de la cathédrale, notamment un homme frisé lisant un livre, un chat grimpant dans un arbre, un dragon, un serpent enroulé sur lui-même, un homme à trois yeux avec une borne attachée au cou, le dieu Pan avec sa flûte, un diable avec une fourche et une corbeille de fruits, un serpent enroulé autour du squelette d'une créature ailée, et un gros crapaud verruqueux. La gargouille la plus célèbre, qui reste unique en son genre, représente le visage de Darth Vader – « le père sombre de Luke ». Situé tout en haut de la tour St Peter, c'est le troisième prix du concours lancé en 1980 pour concevoir une nouvelle gargouille.

Construite principalement en calcaire de l'Indiana, la cathédrale contient également de nombreux matériaux architecturaux provenant du monde entier. Le Canterbury Pulpit, qui représente la traduction de la Bible en anglais, a été sculpté dans une pierre de la cathédrale de Canterbury et le siège de l'évêque, la Glastonbury Cathedra, est taillé dans une pierre venant de Glastonbury, en Angleterre. La pierre de l'autel de Jérusalem provient d'une carrière voisine de Jérusalem, et les dix pierres de la façade de l'autel, représentant les Dix Commandements, proviennent du mont Sinaï. Ce sont ces pierres dont il est question comme indice dans *Le Symbole perdu*.

La façade de la cathédrale est ornée d'une frise sur le thème de la Création sculptée au-dessus des trois portes : le jour de la Création figure au-dessus à gauche, la création de l'homme au milieu et la création de la nuit à droite. Les statues représentent saint Pierre avec son filet, au moment où il fut appelé pour servir le Christ ; Adam émergeant d'une pierre ; et saint Paul aveuglé par le Seigneur, au moment de sa conversion au christianisme.

À l'intérieur de la cathédrale, les 16 travées de part et d'autre de la nef centrale abritent des statues, des sculptures et des vitraux représentant divers éléments du patrimoine des États-Unis, comme : la quête de la liberté ; l'expédition exploratrice de Lewis et Clark en 1803 ; des aspects de la loi ; Woodrow Wilson, le vingt-huitième Président ; une représentation de Martin Luther King prêchant son dernier sermon à la cathédrale quelques jours avant son assassinat ; des images de la paix dans le monde ; le rôle des femmes chrétiennes ; une scène du psaume 23 (« Le Seigneur est mon berger » ; et une statue en bronze d'Abraham Lincoln. On y voit également un vitrail consacré aux généraux de la guerre de Sécession Robert E. Lee et Thomas « Stonewall » Jackson, ainsi que le vitrail de la Lune, contenant un morceau de roche lunaire, qui commémore la mission Apollo XI.

Au total, la cathédrale compte 215 vitraux éclatants, dont trois rosaces. Au milieu de la nef, la rosace ouest représente la Création ; la rosace nord, le Jugement dernier ; et la rosace sud, l'Église triomphante. Les 18 vitraux des claires-voies de la nef représentent les préparatifs pour le Messie.

À l'extrémité est de la cathédrale, se dresse le grand autel, séparé de la nef principale par un jubé en bois sculpté.

Derrière, se trouvent les magnifiques retables Ter Sanctus, comprenant 110 personnages sculptés entourant Jésus. Outre le grand autel, la cathédrale comprend neuf chapelles : la chapelle mémoriale de la Guerre ; la chapelle des Enfants (construite à l'échelle d'un enfant de six ans) ; la chapelle St John & St Mary, au fond de la nef ; ainsi que les chapelles du Bon Berger, de Bethléem, de saint Joseph d'Arimathie et de la Résurrection, toutes situées dans la crypte. Les quatre chapelles de la crypte sont de style roman, imitant la tradition de construire des cathédrales gothiques sur les vestiges antérieur d'églises normandes.

Une fois par mois, un grand labyrinthe de toile est étalé sur le sol de la nef centrale pour permettre au public de prier en marchant selon le tracé du célèbre labyrinthe de la cathédrale de Chartres.

La cathédrale nationale de Washington est devenue un lieu de prière national et a été utilisée pour l'office des grâces de la fin de la Première Guerre mondiale. Les obsèques nationales de quatre présidents y ont eu lieu, ainsi que des investitures présidentielles. Deux cent vingt personnes y sont inhumées, dont le Président Woodrown Wilson, Helen Keller et son professeur Anne Sullivan, ainsi que les architectes de la cathédrale, Philip Frohman et Henry Vaughan.

VOIR ÉGALEMENT : Pierre L'Enfant.

CERCLE POINTÉ

Le cercle pointé est l'un des plus anciens symboles connus de l'humanité. Nos ancêtres, qui devaient en apprécier la simplicité, s'en servaient pour symboliser quelque chose d'important.

Avec une simple liane, une bande de tissu ou une corde, il est facile de tracer un cercle pointé. Il suffit de marquer un point, puis de tenir une extrémité de la corde sur ce point, de la tendre et d'en faire tourner l'autre extrémité, éventuellement munie d'un bâton effilé. Le symbole peut être tracé sur une roche plate, sur la glace, sur le sol.

Dans *Le Symbole perdu*, Robert Langdon découvre sur le bout de son doigt un cercle pointé après avoir retiré sa main de la boîte contenant la pyramide. Le doyen de la cathédrale associe ce cercle pointé à l'alchimie. Les alchimistes l'utilisaient pour symboliser l'or, puisque le soleil est de la même couleur que le métal précieux que certains prétendaient avoir le pouvoir de fabriquer.

L'universalité de l'image est illustrée par certaines des cultures qui ont utilisé ce symbole dans leurs inscriptions. Les Indiens Chippewa ou Ojibwe des États-Unis et du Canada, dont le patrimoine culturel est transmis aux nouvelles générations, s'en servent. Le cercle marqué d'un point était utilisé pour représenter notre vocable « esprit » dans leur transcription des pratiques religieuses sur des rouleaux en écorce de bouleau. Au Mexique, pour les Huichol, descendants des Aztèques, il symbolise l'œil de Dieu, tout comme pour les premiers chrétiens.

Il n'est peut-être pas étonnant que pour deux des plus anciennes civilisations du monde, il ait symbolisé le soleil.

Les Chinois s'en servaient pour représenter le disque solaire, soit un jour. Pour les Égyptiens, il représentait leur dieu suprême, Râ, et le soleil lui-même. Ils se qualifiaient parfois de « bétail de Râ », car une légende racontait que les hommes avaient été façonnés avec les larmes et la sueur du dieu. On pourrait trouver étrange que les Égyptiens puissent considérer que la sueur d'un dieu constitue une matière première convenable ; cependant, le lotus bleu (*nymphea cærulea*) était adoré en Égypte pour sa beauté et son parfum, comparé à l'essence divine et considéré comme l'odeur de la sueur de Râ. On trouve encore dans l'art égyptien des représentations de personnages respirant le lotus. Les mots anciens pour « larmes de Râ », *remyt*, et « humanité », *remeth*, présentent également un lien intéressant par leurs consonances similaires.

Les obélisques égyptiens étaient considérés par leurs constructeurs comme un lien métaphorique entre le ciel et la terre, leur pyramidion symbolisant les rayons du soleil touchant la terre. Le Washington Monument, obélisque qui détient la clef de la parole perdue dans *Le Symbole perdu*, se révèle être au centre d'un cercle pointé. La place qui entoure le monument forme le cercle.

Astrologues et astronomes utilisent eux aussi ce symbole pour représenter le soleil, tandis que les astrologues médiévaux, également astronomes, s'en servaient pour désigner la Terre puisqu'ils croyaient qu'elle était la création particulière de Dieu, donc le centre de l'univers. L'espace entourant la terre ressemblait à un océan autour d'une île.

À Salisbury Plain, dans le Wiltshire, en Angleterre, se trouve un immense et mystérieux cercle pointé : Stonehenge. On l'estime vieux de 4 500 ans, bien que certains de ses énormes monolithes aient pu être érigés des siècles plus tôt. Cette structure est entourée d'un talus et d'un fossé que les recherches archéologiques datent d'environ 3100 avant J.-C. Cet ensemble talus-fossé forme le cercle et l'anneau de pierres le centre. Tous les alentours ont servi de cimetière durant une longue période de la préhistoire et recèlent de nombreux tumuli. S'il est évident que cette région de l'Angleterre était un haut lieu pour les peuples anciens, personne ne s'accorde sur leurs raisons. Les hypothèses sur la fonction et la raison d'être de Stonehenge vont du calendrier ancien à l'astro-laboratoire en passant par le temple ou le lieu de sacrifice.

Pour ceux qui suivent les préceptes mystiques de la kabbale, qui a sa propre interprétation des textes hébraïques, le point cerclé symbolise Kether dans les Sefirot. Kether est la couronne au sommet de l'Arbre de Vie des Sefirot. L'Arbre de Vie est un diagramme qui illustre la création de l'univers. En franc-maçonnerie, c'est le symbole de la maîtrise des émotions.

L'un des objets maçonniques les plus étroitement liés à la Fraternité est le compas, qui est d'évidence l'outil le plus adapté pour tracer un cercle pointé.

Les pythagoriciens appelaient Dieu l'Être primaire, ou Monade, dont tout le reste découle. La Monade était représentée par un cercle pointé. Quand le terme monade est utilisé pour une unité indivisible, il prend le sens d'atome. Pour les taoïstes, il symbolise l'étincelle créatrice divine.

La dernière mention du cercle pointé dans *Le Symbole perdu* est faite quand Robert Langdon se rend compte que la fresque *L'Apothéose de Washington* au plafond du Capitole présente les personnages disposés dans deux cercles concentriques.

Ce qui est peut-être le plus fascinant, c'est que pendant des siècles et dans d'innombrables religions et philosophies, le cercle pointé ait été considéré comme doté d'une signification particulière, représentant souvent Dieu. La séduction qu'exerce ce symbole serait-elle due à bien davantage qu'à sa simplicité de forme ?

VOIR ÉGALEMENT : Alchimie, *L'Apothéose de Washington*, Francmaçonnerie.

CIA – BUREAU DE LA SÉCURITÉ

Dans *Le Symbole perdu*, dès l'instant où Robert Langdon quitte le sous-sol du Capitole après l'agression du directeur du Bureau de la sécurité, il devient un fugitif. Le héros de Dan Brown est ensuite l'objet d'une traque dans Washington, durant laquelle il tente de devancer la CIA qui a mobilisé tout son personnel et ses ressources technologiques pour les localiser, lui et la mystérieuse pyramide qu'il transporte.

La Central Intelligence Agency est une agence indépendante créée par le gouvernement américain, chargée de fournir des renseignements ayant trait à la sécurité nationale aux hauts responsables du gouvernement. Au sein de la CIA, se trouve une division du Directorate of Support, le Bureau de la sécurité, responsable de la sécurité interne de tous les employés, des opérations et des locaux de la CIA. En outre, ce Bureau de la sécurité dirige le programme de contrôle de la sécurité et enquête sur les personnes ou agences affiliées à la CIA ayant commis des infractions à la procédure. Il s'occupe également de la protection d'individus ayant fui d'autres pays pour gagner les États-Unis. En bref, le Bureau de la sécurité se compose d'espions qui espionnent des espions.

L'un de ses autres rôles est d'enquêter au sein des États-Unis sur toute menace aux sources et méthodes de renseignement. Dans quelques rares affaires, les membres de ce Bureau auraient employé des méthodes discutables, par exemple : surveillance, violation de propriété, interception de courrier et contrôle fiscal. Il a été beaucoup débattu de la nature discutable de ces agissements et de la possibilité qu'a la CIA d'y recourir, quelle que soit l'ampleur du danger qui les motive. Pour l'instant, rien ne prouve qu'elle se soit adonnée à des actions de ce type au cours des trente dernières années.

Sous-division du Bureau de la sécurité, la Division de la sécurité technique est chargée de s'assurer que tous les systèmes de sécurité utilisés par la CIA sont les plus sophistiqués. Son champ d'action dans les locaux de la CIA englobe la détection et l'élimination d'éventuels dispositifs d'écoute, l'entretien des générateurs de bruit blanc, l'installation de serrures, de coffres-forts et d'alarmes. Il a été avancé que cette Division organise même des « jeux de mise sur écoute », où deux équipes rivales testent leurs méthodes : une équipe dissimule ses dispositifs et l'autre essaie de les dépister. Rien ne prouve qu'un dispositif d'écoute ne provenant pas de la CIA ait jamais été découvert au siège de l'Agence.

Il est aussi question dans *Le Symbole perdu* des activités de la CIA dans un domaine plus controversé : la vision à distance, c'est-à-dire le recours au paranormal pour recueillir des informations sur des installations secrètes ou cachées. Du début des années 1970 au milieu des années 1990, la CIA a participé à un projet dénommé Stargate (Porte des Étoiles), utilisant des voyants et des médiums pour estimer la validité et l'efficacité de la vision à distance comme outil militaire et politique. De nombreux auteurs sérieux comme des théoriciens du complot ont abondamment écrit sur le sujet, et bon nombre des voyants impliqués dans le programme ont été nommément cités.

Parmi les plus célèbres, on compte Ingo Swann, Pat Price, Lyn Buchanan et Joseph McMoneagle. Dans un article sur la vision à distance du numéro de janvier-février 2004 de la revue *Phenomena*, l'auteur Richard Dolan écrivait :

« Les voyants suivent-ils de vraies pistes et leur information est-elle complète ? Bien évidemment que non,

91

mais nous disposons d'éléments probants qui indiquent que, dans bien des cas, il se produit quelque chose qui, selon les critères de la science actuelle, ne devrait pas se produire. En d'autres termes, nous avons de bonnes raisons de croire que la vision à distance existe réellement. »

Officiellement, la CIA a mis fin au projet Stargate et à d'autres programmes du même type au milieu des années 1990, mais la spéculation fait rage et beaucoup affirment que la CIA continue de financer des opérations recourant non seulement à la vision à distance mais aussi à d'autres phénomènes paranormaux et occultes.

Leon E. Panetta a été nommé directeur de la CIA le 13 février 2009 par le Président Barack Obama. Panetta a été député pour le 16ᵉ District de Californie (1977-1993) et chef de cabinet de Bill Clinton (juillet 1994-janvier 1997). Il a succédé à Porter Johnston Goss à la tête de la CIA.

Certains éléments prouvent que pendant ses études à l'université de Yale, Goss faisait partie d'une société secrète, Book & Snake (B&S). Nous retrouvons parmi les membres de cette société le journaliste du *Washington Post* Bob Woodward qui a dénoncé l'affaire Watergate, l'ancien secrétaire au Trésor Nicholas Brady, et l'ancien secrétaire à la Défense Les Aspin Jr. Selon la rumeur, Book & Snake aurait des liens avec une autre société secrète célèbre, Skull & Bones (S&B) à laquelle George H.W. Bush et son fils George W. Bush ont d'ailleurs appartenu. George H.W. Bush fut en outre directeur de la CIA sous le mandat de Gerald Ford.

Beaucoup des membres de S&B sont aussi francs-maçons, et les tenants de la théorie du complot prétendent que George H.W. Bush l'était. Cependant, il ne l'a jamais confirmé.

Le siège du Bureau de la sécurité se trouve au quartier général de la CIA à McLean, en Virginie, sur une propriété de 91 hectares située sur la rive ouest du Potomac, à environ 11 kilomètres du centre de Washington. Depuis avril 1999, le complexe est officiellement appelé George Bush Center for Intelligence, mais il est plus connu sous le nom de Langley, nom de la propriété autrefois située à cet emplacement. Plus de 22 000 employés travaillent sur place, aussi bénéficie-t-elle d'un code postal : 20505.

Kryptos, une sculpture de l'artiste Jim Sanborn, a été installée au siège de la CIA en 1990. Cette œuvre d'art est recouverte de messages cryptés et de nombreux amateurs se sont donné beaucoup de mal pour les déchiffrer. Mais jusqu'à présent, comme nous l'apprend *Le Symbole perdu*, la sculpture a conservé son mystère.

Une citation de la Bible est gravée dans le mur du hall du bâtiment principal : « Et vous connaîtrez la vérité et la vérité vous libérera » (Jean, 8 :32). Les locaux accueillent également un musée, un auditorium de sept mille places et, bien entendu, la bibliothèque de la CIA.

Le musée, ou Collection nationale historique, abrite les gadgets d'espionnage de la CIA et divers objets recueillis au cours des années. Une grande partie des données étant encore classée Confidentiel, et le musée n'est pas ouvert au public. La bibliothèque de la CIA est évidemment une mine d'ouvrages sur le sujet de l'espionnage et du renseignement. Elle contiendrait plus de 125 000 livres et est abonnée à plus de 1 500 périodiques. Elle contient également la collection d'intelligence historique, qui comprendrait plus de 25 000 volumes.

Inoue Sato, l'un des principaux personnages du *Symbole perdu*, est la directrice du Bureau de la sécurité. Elle semble incarner la CIA, étant érudite, autoritaire, intelligente, soupçonneuse et inflexible.

VOIR ÉGALEMENT : *Kryptos.*

CODE MAÇONNIQUE

Dans *Le Symbole perdu*, Waren Bellamy demande à Robert Langdon dans la bibliothèque du Congrès s'il comprend la langue qui figure sur la pyramide de granit qu'ils étudient. Langdon l'identifie comme un code maçonnique et parvient rapidement à déchiffrer le message comme une série de signes. Connu à l'origine sous le nom de chiffre de Pigpen, le code a été utilisé pour la première fois par les maçons pour chiffrer des documents au début du XVIIIe siècle, et durant la guerre de Sécession, les officiers confédérés l'auraient utilisé.

Code de substitution, il consiste à remplacer chaque lettre d'un mot par un symbole. Les 26 lettres de l'alphabet sont écrites sur quatre grilles et la portion de la grille dans laquelle la lettre a été placée donne la forme de cette lettre dans le code. Un exemple est visible dans les pages du *Symbole perdu*.

Une organisation telle que la maçonnerie, dont les membres voulaient sans doute garder secrètes leurs affaires, devait avoir besoin d'une méthode pour communiquer en code entre les différentes loges ou leurs membres. Un premier exemple de ce code figure dans les minutes d'une réunion d'un groupe de maçons de l'Arche royale à Portsmouth en 1769. Thomas Dunckerley autorisa cette réunion et les minutes relatent qu'« il nous enseigna également cette manière d'écrire [code ou chiffre] dont il doit être usé dans le degré ».

Évidemment, les minutes sont codées avec ces symboles géométriques maçonniques. En comparaison des autres codes de l'époque et de ceux utilisés de nos jours, le code maçonnique est simple et grossier, facile à déchiffrer. C'est pour cette raison qu'il ne fut pas utilisé longtemps. Il aurait été inventé par Giambatista della Porta au début du XVIIe siècle. Érudit et occultiste napolitain, Della Porta publia de nombreux ouvrages de philosophie, d'alchimie, de mathématiques et d'astrologie ainsi que de nombreuses pièces. En 1563, il publia *De furtivis Literarum Notis*, un livre sur les codes secrets et la cryptographie.

Au dos de la couverture de l'édition américaine du *Symbole perdu* figurent deux colonnes de symboles du code maçonnique de part et d'autre du texte. Ils peuvent être déchiffrés en tournant le livre à 90 degrés et en lisant le texte sur deux lignes. Décodé, cela donne la phrase : « Toutes les grandes vérités commencent comme des blasphèmes ». Ce code et sa solution font partie du concours de « quête de symboles » lancé par les éditeurs de Dan Brown à la publication du livre.

VOIR ÉGALEMENT : Franc-maçonnerie.

CROWLEY, ALEISTER

Aleister Crowley est décrit dans *Le Symbole perdu* comme un individu qui a considérablement inspiré Mal'akh à l'époque où il s'appelait encore Andros Dareios et habitait à New York. Nous apprenons que c'est dans les écrits de Crowley que Mal'akh a appris les rituels et les incantations magiques.

Qui était donc Aleister Crowley ? Aux yeux de la presse, il passa pour « l'homme le plus malfaisant du monde ». Plutôt que de réfuter cette appellation, Crowley semblait se repaître de sa sinistre notoriété et n'essayait pas de faire changer les gens d'opinion. D'ailleurs, il alla jusqu'à se surnommer lui-même « la Bête dont le chiffre est 666 ».

Si nous doutions encore de la réputation de l'homme, il suffirait de jeter un coup d'œil aux minutes d'un procès londonien pour diffamation qu'intenta Crowley en 1934. Le juge s'y exprimait ainsi :

> « Je pensais avoir vu le mal sous toutes ses formes concevables et que tout ce qui était mauvais, maléfique et malsain était déjà arrivé à une époque ou une autre avant la mienne. J'ai appris avec ce procès que nous pouvons toujours apprendre davantage... Je n'avais jamais encore entendu choses plus affreuses et plus abominables blasphèmes que ce qu'a écrit cet homme qui se qualifie de plus grand poète vivant. »

Qu'avait donc fait Crowley pour mériter un tel blâme ? Quelle est son histoire ?

Crowley, né en 1875 à Royal Leamington Spa, dans le Warwickshire, était le fils d'un riche brasseur à la retraite.

Ses deux parents étaient des chrétiens très stricts, membres de la secte des Frères de Plymouth. Mais l'examen de son enfance laisse apparaître que tout ne passa pas de manière aussi idyllique.

Son père mourut précocément. Par la suite, Crowley refusa d'accepter le dogme religieux familial, ce qui le conduisit à rompre avec les siens. Sa mère, en particulier, était désemparée par son tempérament rebelle et commença à l'appeler « la Bête » en référence au personnage de l'Antéchrist tel qu'il est présenté dans l'Apocalypse. Plutôt que de prendre ombrage de ce surnom, Crowley l'adopta et en usa jusqu'à sa mort.

La situation ne s'améliora qu'à sa majorité, où il hérita de la fortune paternelle. Enfin libéré du milieu religieux qu'il abhorrait, Crowley partit à Cambridge où il fit ses premiers pas dans une existence entièrement consacrée à l'occultisme.

Il dévora des ouvrages sur la magie et l'alchimie et, dès 1898, fut initié à l'Ordre hermétique de l'Aube d'or, une société ésotérique qui comptait parmi ses membres d'illustres personnages comme W.B. Yeats et Dion Fortune. Cependant, des luttes intestines l'amenèrent à fonder son propre temple à Boleskine House, sur les rives du Loch Ness, en Écosse.

Au cours des années suivantes, il tenta de démêler les rituels magiques. Il décrit son objectif ultime dans *Magie théorique et pratique*, livre dans lequel nous trouvons, assez curieusement, un écho aux sciences noétiques mentionnées dans *Le Symbole perdu* :

> « Il existe une unique définition de l'objet du rituel magique. C'est la réunion du microcosme et du macrocosme. Le suprême et complet rituel est donc l'invocation du Saint Ange gardien ; ou, dans le langage du mysticisme, l'union avec Dieu. »

Malgré la réputation qu'il avait, rien ne prouve que Crowley ait été adepte de magie noire. Il semble avoir fermement réfuté cette accusation et rendit publique sa condamnation pour pratique de la magie noire dans un article de journal de 1933 :

« Pour pratiquer la magie noire, il faut violer tous les principes de la science, de la décence et de l'intelligence. Il faut être obsédé par l'idée démente que l'infime objet de ses misérables et égoïstes désirs présente une quelconque importance.

J'ai été accusé de pratiquer la magie noire. Jamais on ne fit sur moi déclaration plus stupide. Je méprise la magie noire à tel point que je puis à peine croire à l'existence d'individus assez dépravés et imbéciles pour la pratiquer. »

La tâche qui occupa le plus Crowley fut son étude de la *Thelema*. Cet ensemble de travaux pourrait être qualifié de traité *contre* la magie noire ; en fait, les lois que rédigea Crowley et qu'il observa dans sa vie interdisaient cette pratique.

Le résultat de ces recherches fut compilé dans *Le Livre de la Loi* ou *Liber al vel Legis*. Crowley découvrit la loi de Thelema alors qu'il était en voyage de noces au Caire, où il prétend avoir reçu le texte final d'un guide spirituel apparu sous la forme d'Aiwass, messager du dieu égyptien Horus.

« La parole de la loi est Thelema. Celui qui nous appelle Thélémites n'agira pas en mal, s'il examine de près ce terme. Car il y a en son sein trois grades : l'Ermite, l'Amant et l'Homme de la Terre. Fais ce que tu voudras sera la Loi. »

Ce message signifie littéralement que chacun de nous est libre de mener sa vie comme bon lui semble ; cependant,

Crowley pense qu'avant de pouvoir exercer notre libre volonté, nous devons procéder à un examen intérieur, et au terme d'une longue étude nous pourrons nous connaître et identifier la nature de notre volonté avant de la mettre en œuvre. Cette libre volonté doit donc être interprétée comme la destinée ou le but de l'existence de l'individu et, dans les faits, cette liberté exige une grande responsabilité et une véritable autodiscipline.

Bien que son œuvre soit abondante et hétérogène, il est probable que c'est l'intérêt de Crowley pour la magie sexuelle qui lui valut d'être vilipendé. Il participait régulièrement à des rituels magiques avec des participants des deux sexes ; sans doute l'Histoire aurait-elle été plus indulgente avec lui s'il n'avait pas scandalisé la société très policée du début du siècle dernier avec ses frasques.

Pour en revenir au *Symbole perdu*, nous noterons que, dans le cadre de ses nombreuses études sur l'occultissme, Crowley s'intéressa à la maçonnerie. Il raconte lui-même avoir été initié jusqu'au troisième degré en 1904 dans une loge parisienne et demanda en vain à être admis aux tenues de loges londoniennes. Il avoua aussi dans son autobiographie avoir été initié au trente-troisième degré selon le rite ancien et accepté dans une loge mexicaine. Toutes ces déclarations sont difficiles à vérifier. Pour ne rien simplifier, il accéda plus tard au trente-troisième degré, entre autres honneurs, par le biais de sa correspondance avec un maçon anglais controversé, John Yarker.

Crowley fut aussi associé à la franc-maçonnerie avec l'Ordo Templi Orientis, connu sous le nom d'Oto, qui s'inspirait de la maçonnerie et dont il devint membre en 1912. Après une série d'événements bizarres en 1923, Crowley se proclama grand chef de l'Ordre et, personne ne lui disputant ce titre, il le dirigea pendant plusieurs années.

Nous ne saurons jamais s'il s'intéressait vraiment à la franc-maçonnerie, mais avec son réseau fort développé il devait forcément maîtriser bon nombre des secrets de la fraternité. Il semble avoir cherché à assimiler le savoir acquis auprès des maçons à ses recherches occultes. Dans son livre, *Confessions d'Aleister Crowley : une autobiographie*, il raconte :

> « J'ai proposé de définir la franc-maçonnerie comme un système pour communiquer la vérité – religieuse, philosophique, magique et mystique ; son but est d'indiquer les moyens adéquats de développer les facultés humaines à l'aide d'un langage particulier dont l'alphabet est le symbolisme du rituel. La fraternité universelle et les grands principes moraux, indépendants des préjugés raciaux, personnels, climatiques et autres, formaient naturellement un terreau favorable à la sécurité individuelle et à la stabilité sociale pour chacun d'entre nous. »

Le fait est que Crowley demeure une énigme aujourd'hui : nous ne savons pas plus qui il était que ses contemporains. Mais s'il vivait encore aujourd'hui, à la lecture du *Symbole perdu*, il apprécierait sûrement le thème qui parcourt le livre : Dieu est dans chacun de nous. Il aurait été là en terrain familier.

En outre, il aurait embrassé avec enthousiasme le principe de science noétique et les applications pratiques comme l'expérience d'intention. Car qu'est-ce qu'un rituel de magie, sinon l'application de la volonté humaine à notre environnement physique ? Nous appelons cela différemment aujourd'hui, mais pour Crowley il n'y aurait eu aucune différence : les fondements de la magie qu'il pratiquait et ceux de la science noétique sont identiques. « Fais ce que tu voudras sera la Loi. »

VOIR ÉGALEMENT : Franc-maçonnerie, Institut des Sciences noétiques.

DÜRER, ALBERT

Conformément au parti pris que Dan Brown s'est fixé dans ses précédents romans consacrés à Robert Langdon, un artiste de renommée mondiale se trouve au cœur du décryptage dans *Le Symbole perdu*. Après la traque dans Rome parmi les splendides sculptures en marbre du Bernin dans *Anges et Démons* et le génie de Léonard de Vinci dans *Da Vinci Code*, nous avons désormais le formidable personnage d'Albert Dürer, le plus grand artiste de la Renaissance allemande.

Dürer nous a légué plus de 950 œuvres, mais il est aussi l'auteur de livres sur les mesures, le corps humain et les fortifications. À cet égard, c'était un véritable homme de la Renaissance, versé dans maintes disciplines. Même après cinq siècles, au moins 60 de ses œuvres à l'huile nous sont parvenues, ainsi que des milliers de dessins et d'aquarelles, bien que la paternité de certaines soit évidemment sujette à caution et débat. Se plaignant que la peinture prenne trop de son temps et lui rapporte trop peu, il fonda un atelier qui produisait et vendait principalement des estampes. Ses gravures et eaux-fortes étaient d'une plus grande qualité que celles de ses contemporains, et elles sont aujourd'hui encore considérées comme les meilleures jamais produites.

Nous trouvons parmi ses aquarelles des paysages, dont notamment une série dépeignant son voyage à travers les Alpes, car il eut la chance de pouvoir se rendre plusieurs fois en Italie. Ce qu'il y apprit suffit à tempérer le style gothique qui était jusque-là le sien. Frances Yates, dans

Philosophie occulte à l'époque élisabéthaine, déclare que Dürer avait :

« ... absorbé la théorie artistique italienne reposant sur l'harmonie du microcosme et du macrocosme, comprise dans de subtils termes géométriques, sur les proportions du corps humain par rapport aux lois gouvernant le cosmos, telles qu'édictées par l'architecte de l'Univers ».

Né à Nuremberg en 1471 dans une famille nombreuse, Dürer fut d'abord formé au métier d'orfèvre de son père. Comme il l'expliqua dans un récit de sa vie : « Quand j'eus fini mon apprentissage, mon tempérament me poussa davantage vers la peinture que vers le travail d'orfèvre. »

Malgré les réserves qu'il émettait sur sa carrière, son père le fit entrer comme apprenti auprès du peintre Michael Wolgemut, dont Albert peignit le portrait à l'huile et à la gouache en 1516, longtemps après avoir été formé.

Le parrain de Dürer, Hartmann Schedel, était un ancien orfèvre devenu imprimeur qui publia la *Chronique de Nuremberg* en juillet 1493, d'abord en latin, puis rapidement en traduction allemande. Il est tentant de penser qu'il influença peut-être la décision d'Albert de quitter l'orfèvrerie. Plus de 1 800 illustrations pour la *Chronique* furent produites par l'atelier de Wolgemut, et il est possible que Dürer ait travaillé sur certaines d'entre elles durant les trois années de son apprentissage, de 1486 à 1489.

Après quoi, le jeune Dürer partit en voyage et ne revint à Nuremberg qu'en 1495.

L'un de ses proches amis était Willibald Pirckheimer, un érudit qui influença le développement de l'intérêt de Dürer pour la pensée humaniste. C'est à lui qu'il écrivit une série de lettres alors qu'il travaillait à Venise, de 1505 à 1507. De cette période date le tableau *La Vierge de la fête du rosaire*, commandée par un groupe de marchands allemands pour l'église San Bartolomeo.

L'œuvre de Dürer, comme celle des grands artistes de l'époque, était dominée par les thèmes religieux. En 1511, il acheva deux séries de gravures sur bois intitulées *La Vie de la Vierge* et *La Grande Passion*. En 1513, sur un thème plus séculier, il acheva une gravure sur cuivre, *Le Chevalier, la Mort et le Diable*. Le chevalier est un chrétien, tandis que le crâne aux pieds de son imposant destrier représente la mort, également personnifiée par un cadavre en décomposition brandissant un sablier, pour rappeler au chevalier que ses jours sont comptés.

Le Diable se trouve derrière le guerrier, impuissant, puisque ses tentations ont manifestement été ignorées.

Katherine Solomon, dans *Le Symbole perdu*, attribue à Dürer une croyance dans le christianisme mystique, mélange d'astrologie, d'alchimie, de sciences et de christianisme. Certes, Dürer fut influencé par Martin Luther, et se convertit au luthérianisme. En 1524, il écrivit : « En raison de notre foi chrétienne, nous devons endurer mépris et danger, car nous sommes conspués et accusés d'hérésie. »

Dürer a exécuté deux autres gravures sur cuivre avant 1514, *Saint Jérôme dans sa cellule* et *Mélancolie I*. Elles sont considérées comme d'une perfection inégalable, et c'est *Mélancolie I* que Dan Brown choisit d'utiliser dans son roman.

Klibansky, Panofsky et Saxl, dans leur livre *Saturne et la Mélancolie*, considèrent le concept de génie malancolique que l'on trouve dans la gravure de Dürer comme influencé par le livre *De Occulta Philosophia* du kabbaliste Henricus Cornelius Agrippa. Dürer aurait donc lu un exemplaire antérieur de l'ouvrage de son maître en études occultes – le livre fut écrit en 1510 mais parut seulement en 1533. Agrippa publia aussi une série de carrés magiques, dont l'un apparaît dans *Mélancolie I*.

Dürer s'intéressait d'évidence aux mathématiques. Nous en avons la preuve avec le carré magique positionné juste sous la cloche et au-dessus du personnage central. La somme des nombres de chaque rangée est 34 – verticalement, horizontalement et diagonalement. Les deux carrés centraux de la rangée du bas indiquent aussi l'année de publication de la gravure : 1514.

La série des 15 illustrations de l'Apocalypse, inspirée par le texte biblique, connut aussi beaucoup de succès. Elles furent imprimées, et en quelques années le nom de l'artiste fut connu dans toute l'Europe. Dürer dut cette célébrité à Johannes Pirckenheimer, père de Willibald, qui le guida dans le choix des thèmes religieux qu'il représenta. Johannes était un conseiller épiscopal et un juriste très respecté – qualifications très utiles dans une époque de troubles religieux.

L'empereur Maximilien Ier, mécène de Dürer, lui commanda une série de gravures sur bois qui allaient former ensemble l'immense œuvre intitulée *L'Arc de triomphe*. Le total de 192 blocs, exécutés par Dürer et certains de ses élèves, représente le grand monument qui évoque la puissance du souverain du Saint Empire.

Un artiste aussi reconnu et influent se devait d'inspirer les autres en consignant ses préceptes sur certains aspects de son art. Ses écrits, *Instruction sur la manière de mesurer*, *Traité sur les fortifications* et les quatre tomes posthumes de son *Traité des proportions du corps humain* démontrent l'ampleur de son savoir.

Après sa mort en 1528, Martin Luther écrivit dans une lettre à un ami commun :

« Quant à Dürer, assurément, l'affection nous contraint à pleurer celui qui fut parmi les meilleurs, mais vous serez heureux qu'il ait connu une si belle fin et que le Christ l'ait soustrait à une époque de troubles et à un

avenir plus troublé encore, de crainte que lui, qui méri-
tait de ne contempler que le meilleur, ne soit forcé de
ne voir que le pire. »

VOIR ÉGALEMENT : Alchimie, Carrés magiques, Grand Architecte de l'Univers, *Mélancolie I.*

ELOHIM

Vers la fin du *Symbole perdu*, figure une révélation à la faveur d'une des nombreuses découvertes de Robert Langdon. Il se rend brusquement compte que la devise latine « *E pluribus unum* », « Un parmi plusieurs », peut en fait s'appliquer au concept primitif de Dieu. Langdon et Katherine Solomon vont jusqu'à insister sur le fait que le Dieu des premiers versets de la Genèse, Elohim, mot pluriel, recouvre plusieurs divinités.

Cette question a chagriné nombres de chercheurs et de théologiens pendant des décennies, et provoque encore des débats brûlants entre érudits religieux et historiens agnostiques.

Cependant, pour certains érudits, Elohim signifie une pluralité de pouvoir, présence, majesté et rang ; en d'autres termes, un dieu unique doté d'un pouvoir et d'une présence si formidables que seul un pluriel peut le décrire de manière adéquate. Pour certains chrétiens orthodoxes, ce pluriel signifie la réalité de la Trinité : Dieu réunit le Père, le Fils et le Saint-Esprit en une entité.

Un fait est certain : le mot Elohim est utilisé à plusieurs reprises dans la Bible pour qualifier un groupe de dieux. Les chercheurs s'accordent sur ce point, mais certains lisent les premiers versets de la Genèse de manière différente des autres occurrences du terme Elohim utilisé au pluriel. Dans Samuel (I 28 :13), une femme dit à Saül qu'elle voit des « dieux » ou Elohim qui montent de la terre, ce qui laisse à penser qu'une désignation plurielle, que l'on pourrait traduire par « entités divines » était en vigueur dans l'Orient antique à l'époque des prophètes.

Le mot Elohim figure plus de 2 500 fois dans l'Ancien Testament, et Yahvé plus de 6 000. La forme au singulier du mot Elohim (Eloah) y apparaît 57 fois. Ces occurrences figurant surtout dans le Livre de Job, les chercheurs estiment aujourd'hui que le mot fut ajouté sous sa forme au singulier beaucoup plus tardivement et qu'Elohim est la forme la plus ancienne. En fait, tout le monde s'accorde à penser que le mot Elohim est le nom le plus ancien de Dieu dans l'usage biblique, plus ancien que Yahvé, ce qui apparaît dans son étymologie historique, qui indique son usage dans les tribus sémitiques et les premiers occupants du Proche-Orient.

Le nom arabe de Dieu, Allah, a lui aussi une parenté étymologique avec le mot Elohim.

Ce mot pourrait très bien indiquer le polythéisme originel pratiqué par les tribus du Levant avant l'apparition de la doctrine d'Abraham. Il pourrait en fait être simplement un vestige de cette époque ancienne, tout en étant utilisé d'une manière singulière par les rédacteurs et commentateurs postérieurs de l'Ancien Testament. Mais au fil du temps, les interprétations de ce mot se sont multipliées. La complexité du débat, comme nous l'avons vu ici, fait qu'il est impossible de le régler en affirmant que le mot « doit » être un pluriel, donc signifier « plusieurs dieux ». En définitive, la devise latine « *E pluribus unum* » peut s'appliquer aux deux extrêmes du débat, les théologiens et les religieux voyant une pluralité de présence et de pouvoir provenant d'un dieu unique, les érudits laïcs voyant un groupement de dieux qui se réunissent symboliquement en un seul : de la multitude surgit l'unique.

VOIR ÉGALEMENT : Un seul vrai Dieu.

FRANC-MAÇONNERIE

Le but de la franc-maçonnerie est décrit comme l'amélioration de ses membres et de la société par le biais d'un « système moral, voilé dans l'allégorie et illustré par des symboles ». Le professeur Langdon utilise cette description dans *Le Symbole perdu*, et c'est aussi celle que donnent les francs-maçons du monde entier pour expliquer leurs pratiques secrètes. Leurs rites et cérémonies étant réservées aux initiés, la franc-maçonnerie est donc considérée comme une société secrète, bien que ses membres y répondent comme le fait Brown dans son roman : les maçons « ne sont pas une société secrète, mais une société qui a des secrets ».

Ces « secrets » sont voilés au sein des cérémonies, ainsi que le symbolisme de chaque partie des rites. Les motifs de la franc-maçonnerie sont tellement nombreux dans ses ordres et ses rites, qu'ils occuperaient sans aucun doute un spécialiste du symbolisme pendant de nombreuses années !

Ces symboles d'allure étrange sont souvent dotés de plusieurs niveaux de sens et nécessitent toujours une interprétation philosophique des outils du compagnon-maçon présentés en compagnie d'images bibliques. Au début du XVIIIe siècle, ils étaient tracés à la craie dans la salle de tenue, puis effacés afin de préserver les secrets maçonniques. Au cours du temps, ils finirent par être des peintures connues sous le nom de « planches », utilisées pour illustrer les exposés donnés devant les candidats concernant les principes moraux qu'ils doivent observer.

L'équerre et le compas, symboles les plus connus de la franc-maçonnerie, sont considérés par les maçons comme « l'étoile de David » qui représente le terrestre et le divin œuvrant ensemble. Le Temple de Salomon est un thème central des rites, et un sens tout particulier est accordé aux deux colonnes qui encadrent l'entrée du Temple, celles que l'on appelle Boaz et Jachin. À mesure que le candidat progresse dans les rites (également appelés degrés), le symbole de l'escalier en colimaçon est présenté comme une allusion à l'échelle de Jacob, censée relier mystiquement la Terre au Ciel. Dans *Le Symbole perdu*, l'escalier à l'intérieur du Washington Monument semble en être une représentation physique.

Selon Kenneth Mackenzie dans son *Encyclopédie royale maçonnique* (1877), la référence suivante à un escalier en spirale est la seule que l'on trouve dans la Bible (Rois I 6 :8) :

« L'entrée des chambres de l'étage inférieur était au côté droit de la maison ; on montait à l'étage du milieu par un escalier tournant, et de l'étage du milieu au troisième. »

L'adoption d'un escalier en spirale au deuxième degré est fondée sur cette allusion fragmentaire. Le symbolisme de l'escalier tournant peut se résumer comme suit : le Temple représente le monde purifié par la présence divine, ou Shekinah ; le fait de passer l'entrée du Temple, c'est être initié comme maçon. L'apprenti qui entre représente un enfant. L'escalier ne commence qu'une fois l'initié passé entre les deux colonnes, et c'est alors que, devenu compagnon, il commence son ascension. Devenu maître, il reçoit dans la chambre médiane les gages – une connaissance de la Vérité.

Les cérémonies maçonniques s'apparentent aux mystères médiévaux, dont les participants jouaient différents rôles destinés à présenter une leçon morale aux spectateurs. Les thèmes du long voyage et de la quête de « ce qui a été perdu » ou « Parole perdue » sont d'autres aspects des rituels accomplis dans la franc-maçonnerie.

La franc-maçonnerie a eu des membres illustres : présidents, rois, artistes. Mozart, Louis Armstrong, Buzz Aldrin, Harry Houdini, Harpo Marx, Henry Ford, les rois Hussein de Jordanie et George VI d'Angleterre sont quelques-uns d'entre eux. Sur les 44 Présidents américains, 14 ont confirmé avoir été maçons : George Washington, James Monroe, Andrew Jackson, James Polk, James Buchanan, Andrew Johnson, James Garfield, William McKinley, Theodore Roosevelt, William Taft, Warren Harding, Franklin D. Roosevelt, Harry Truman et Gerald Ford.

On estime qu'il y a plus de deux millions de francs-maçons en Amérique du Nord, et quatre millions dans le monde.

Parmi les 56 signataires de la Déclaration d'indépendance des États-Unis, beaucoup auraient été francs-maçons, ce qui a conduit certains à avancer que toute la société américaine est fondée sur des principes maçonniques. Il est juste de dire que Dan Brown, qui s'est attiré les critiques de l'Opus Dei et du Vatican en raison de la nature controversée du *Da Vinci Code*, s'est montré plus indulgent avec les maçons. Certains disent même que le livre encouragerait un véritable intérêt pour la franc-maçonnerie, qui connaît une baisse de fréquentation ces dernières décennies. Dans une interview accordée à l'Associated Press, Dan Brown déclarait : « J'ai un immense respect pour les maçons... Face à des civilisations différentes qui s'entretuent pour faire triompher leur version de Dieu, nous avons une organisation mondiale qui déclare essentiellement : "Peu nous importe ce que vous appelez Dieu ou ce que vous pensez de Dieu, du moment que vous croyez en un dieu, rassemblons-nous en frères et regardons dans la même direction". »

Cependant, pour d'autres, la franc-maçonnerie est au mieux un mouvement étrange et peu orthodoxe avec un penchant pour les costumes et cérémoniaux bizarres, et au pire, une société dont les buts sont malfaisants et subversifs.

Les groupes anti-maçonniques et les partisans de la théorie du complot affirment que le mouvement est responsable de la Révolution française et dans les années 1980 de l'affaire de la Loge P2 qui impliquait la mafia et le Vatican et faillit faire tomber le gouvernement italien. Ils affirment que la franc-maçonnerie actuelle tente de créer un nouvel ordre mondial. Il vaut donc la peine d'examiner ce que signifie le terme franc-maçonnerie, et pourquoi cette société suscite autant d'opinions divergentes.

La première difficulté survient lorsque nous tentons de définir l'origine exacte de la franc-maçonnerie. Elle est obscure, en partie à cause des descriptions mythologiques complexes qui en sont données et qui attribuent sa paternité tantôt à Adam, tantôt aux bâtisseurs de la tour de Babel ou à ceux du Temple de Salomon, voire aux Égyptiens qui édifièrent les pyramides. Ces origines sont également voilées parce que, au départ, les enseignements de la franc-maçonnerie étaient transmis oralement sans les livres rituels utilisés aujourd'hui.

La nature du secret exigé des membres implique qu'ils jurent sur leur honneur de « dissimuler et ne jamais révéler ni en partie ni en totalité les secrets ou mystères des maçons libres et acceptés dans la maçonnerie ». Pour souligner la solennité du serment, il arrive que soit mentionné dans la cérémonie le châtiment qui attend celui qui trahit les « secrets ». C'est ainsi que Dan Brown parle de « gorge tranchée d'une oreille à l'autre » ou de « cœur arraché ».

Ce qu'il omet – probablement parce que cela atténuerait l'effet dramatique –, ce sont les paroles récitées aux impétrants, qui expliquent que ces châtiments furent infligés aux frères ayant manqué à leur devoir de secret à des époques reculées afin de protéger l'Ordre des persécutions, alors

111

qu'aujourd'hui aucun maçon ne pourrait ni ne voudrait les appliquer.

Au lieu de cela, celui qui trahit les secrets est plus probablement traité comme un individu qui s'est volontairement parjuré, dénué de toute morale et indigne d'appartenir à une aussi noble société. Cependant, la plupart, sinon la totalité, des secrets révélés aux maçons ont été exposés et publiés au cours des siècles et figurent même aujourd'hui en ligne sur Internet.

La première occurrence du terme « franc-maçon » est attestée en 1376, mais elle était strictement associée à la confrérie des bâtisseurs en Angleterre. Cependant, c'est l'Écosse qui détient la plus ancienne trace de loges opératives médiévales acceptant des gentilshommes comme membres. D'évidence, des mécènes d'origine noble étaient invités à participer aux cérémonies des loges. À Aberdeen, par exemple, vers 1680, les trois quarts des membres des loges n'étaient pas des opératifs ; ces membres finirent par être appelés ffrancs-maçons spéculatifs.

Deux des premiers exemples de « gentilshommes maçons » ou « maçons philosophiques » sont sir Robert Moray (1641) et Elias Ashmole (1646). Ils jouèrent un rôle prépondérant dans la fondation de la Royal Society, dont les membres sont connus pour avoir mêlé l'étude de la science à celle de l'hermétisme et de l'alchimie. Cette période vit un accroissement de l'intérêt pour l'alchimie et le rosicrucisme. Bien que nous n'en ayons aucune preuve, il a été largement avancé que les idées des célèbres scientifiques et alchimistes Robert Fludd et sir Isaac Newton influencèrent fortement le développement de la franc-maçonnerie.

Selon la tradition rapportée par les francs-maçons eux-mêmes, le mouvement se développa autour du métier de maçon au Moyen Âge. Ces maçons étaient employés à la construction des grandes cathédrales gothiques d'Europe, et leurs cérémonies furent adoptées précisément parce qu'elles utilisaient des métaphores reflétant le désir de l'homme de parvenir à la perfection divine par le biais de son ouvrage. Un exemple d'une telle allégorie maçonnique est le fait de prendre une pierre brute et de la transformer en pierre polie, l'ashlar. Cette pratique enseigne au franc-maçon que c'est à travers l'éducation et la diligence qu'il peut parvenir à l'illumination s'il y est convenablement préparé.

Un tournant dans l'histoire de l'émergence de la franc-maçonnerie est la création de la première Grande Loge du monde à Londres à la Saint-Jean, le 24 juin 1717. À l'origine, seules quatre loges se réunissaient dans une taverne à l'enseigne de L'Oie et la Grille, mais par la suite elle se répandit dans le monde entier. Dès 1723, les *Constitutions des francs-maçons* étaient rédigées par le pasteur écossais James Anderson. Dans ce texte, il décrit les pratiques de l'art et réunit les anciens codes opératifs des maçons, connus sous le nom d'anciens devoirs, à de nouveaux éléments reflétant les codes fraternels de nombreuses autres sociétés de l'époque.

À l'époque, la franc-maçonnerie ne connaissait que deux grades ou degrés à l'image du système des compagnons-maçons. Ils étaient appelés apprenti et compagnon. Le terme de « maître » n'était utilisé que pour qualifier celui qui supervisait une construction.

En 1738, parut un livre révisé des constitutions comprenant un troisième degré. Ces trois degrés originels de la maçonnerie sont désormais connus sous le nom de maçonnerie bleue.

Il devait s'ensuivre aux XVIIIe et XIXe siècles une explosion de nouveaux rites et cérémonies. Sous la bannière de la franc-maçonnerie, apparurent dans toute l'Europe et l'Amérique de nouvelles constitutions qui ne se reconnaissaient pas toutes entre elles : Rites templier, écossais, de York, Ordre royal d'Écosse, Étoile d'Orient et Arche royale. Des rites égyptiens et d'autres de nature encore plus mystique apparurent aussi. Collectivement, ils donnèrent au

XVIIIe siècle, siècle des Lumières, son autre nom : l'Âge de la franc-maçonnerie.

D'autres organisations plus sinistres, non maçonniques, ont emprunté par le passé la structure de la maçonnerie, modifiant les cérémonies à leurs propres fins – ainsi en est-il du Ku Klux Klan. Il devrait également être noté que la maçonnerie est un terme large et que les groupes divers qui adoptent ou reçoivent ce qualificatif ne font pas partie d'un ensemble homogène doté d'un seul gouvernement.

Autre idée reçue : les femmes ne seraient pas admises dans la maçonnerie. L'Étoile d'Orient est une forme de franc-maçonnerie qui initie les femmes, mais pas dans les degrés bleus. Il y a cependant nombre de grandes loges qui accueillent hommes et femmes, bien qu'il convienne de préciser que la franc-maçonnerie « acceptée », qui comprend la plupart des grandes loges américaines, considère ces groupes comme « irréguliers » et n'entrent pas en relation avec eux.

Dans le prologue du *Symbole perdu*, le mystérieux initié est préparé pour une cérémonie. Dan Brown semble avoir glané pour cette scène des éléments des rituels maçonniques courants auxquels il a ajouté un élément dramatique : la libation de vin dans un crâne humain. Lecteurs qui avez des parents ou oncles maçons, ne vous inquiétez pas, cela ne se pratique pas de nos jours ; cependant, il semble que ce rituel ait eu cours dans certains rites templiers du tout début du XVIIIe siècle et qu'il ait été emprunté au Rite de Cerneau. Il existe également un rite bouddhiste, dit Kapala, où un crâne humain sert de coupe.

Les crânes figurent souvent dans le symbolisme maçonnique, comme l'explique Robert Langdon quand il discute du cabinet de réflexion plus loin dans le roman. Contempler un crâne et des ossements, nommés aussi *caput mortuum*, ou « représentations de la vanité », seul dans une pièce montre à l'initié que nous devons tous mourir et qu'en conséquence chacun devrait réfléchir à la manière dont il décide de mener sa vie. Un parallèle médiéval serait l'invitation à méditer sur les sept vertus cardinales et théologales et les sept péchés capitaux. La récompense de ce cheminement, ce sont d'un côté les clefs du paradis et de l'autre les clefs du purgatoire.

Découvrir la poitrine, retrousser une jambe de pantalon, relever la manche droite, ou faire porter une corde au cou de l'initié sont de vrais rites. Ces pratiques semblent effectivement étranges pour le profane, et on raille souvent les francs-maçons à ce sujet. En outre, l'impétrant porte également un bandeau sur les yeux. Tous ces éléments, comme d'autres, sont hautement symboliques, comme le stipule le rituel maçonnique :

« Tu ne fus ni nu ni vêtu, car la maçonnerie ne considère aucun homme à l'aune de ses richesses ou honneurs terrestres... Tu eus les yeux bandés et une corde au cou pour trois raisons : la première, pour que ton cœur puisse concevoir avant que tes yeux les contemple les beautés de la franc-maçonnerie ; la deuxième, pour que, tout comme tu fus dans les ténèbres, tu apprennes à garder ainsi le monde, en respectant les secrets de la franc-maçonnerie, hormis pour ceux qui eurent légitimement le droit de recevoir les mêmes comme tu vas bientôt le devenir ; et la troisième, pour que, si tu ne t'étais pas conformé à la cérémonie de ton initiation, te rendant ainsi toi-même indigne d'être pris par la main comme un maçon, tu puisses à l'aide de cette corde, être emmené hors de la loge sans en avoir même contemplé la forme.

Tu reçus l'extrémité pointue d'un instrument perçant ton sein gauche, afin d'apprendre que, comme c'était un instrument de torture de la chair, son souvenir viendrait à ton esprit et à ta conscience si jamais tu révélais illégitimement les secrets de la franc-maçonnerie.

Tu fus conduit au centre de la loge et il te fut demandé de t'agenouiller pour prier, car avant d'aborder n'importe quelle grande et importante entreprise, nous devons toujours invoquer l'aide de la Divinité.

Il te fut demandé en qui tu remets ta confiance, agréablement en nos anciennes lois, car aucun athée ne peut être fait maçon ; il fut dès lors nécessaire que tu exprimes une foi dans la Divinité, autrement aucune obligation ne saurait être considérée comme contraignante. »

Beaucoup ont dit que le symbolisme du Grand Sceau des États-Unis, du billet d'un dollar et de la devise « *In God We Trust* » étaient maçonniques. Le Président Theodore D. Roosevelt, qui était très croyant et franc-maçon, désirait en fait que cette devise soit retirée du billet. En 1907, il écrivit : « Il me paraît éminemment peu sage d'amoindrir une telle devise en l'utilisant sur une monnaie, tout comme elle serait amoindrie de figurer sur des timbres ou des publicités. »

Comme nous l'avons découvert, la franc-maçonnerie n'est pas du tout directe. Au fil du temps, d'innombrables cérémonies ont été inventées et des centaines, sinon des milliers, de groupes « maçonniques » différents sont apparus. Il y a très certainement des « bons » comme des « méchants », des groupes animés de nobles intentions et d'autres aux desseins moins admirables. Mais au final, les francs-maçons semblent être comme tout le monde − sauf qu'ils portent des tabliers !

VOIR ÉGALEMENT : Alchimie, Billet d'un dollar, Boaz et Jachin, Franc-maçonnerie de rite écossais, Grand Sceau des États-Unis, Ordre de l'Étoile orientale, Rite de Cerneau, Rosicruciens, Sir Isaac Newton.

FRANC-MAÇONNERIE DE RITE ÉCOSSAIS

L'un des thèmes majeurs du *Symbole perdu* est la franc-maçonnerie de Rite écossais, et plus particulièrement son trente-troisième degré. Dan Brown déclare qu'il s'agit du degré le plus élevé dans toute la franc-maçonnerie et qu'un message spécial est révélé aux membres de ce groupe d'élite. Son symbole est un aigle alchimique à deux têtes. Le siège du Rite écossais est la Maison du Temple à Washington. Le roman explique que les membres l'appellent Heredom, du nom d'une montagne mythique d'Écosse.

Mais qu'est-ce que le Rite écossais ? A-t-il un rapport avec l'Écosse ? Existe-t-il un grand secret uniquement révélé à l'élite des membres du trente-troisième degré ? Et si c'est le cas, quelle est son importance ? Pourquoi le siège du Rite écossais se trouve-t-il aux États-Unis ?

Selon l'*Encyclopédie maçonnique* d'Henry Wilson Coil, lui-même maçon du trente-troisième degré et dont le livre a été supervisé par trois autres maçons de même grade :

« Écossais et Écosse sont parmi les mots les plus troublants des textes maçonniques. Tant qu'ils ne recouvraient que l'Écosse, tout allait pour le mieux. Mais vers 1740, ils commencèrent à décrire de nombreux degrés européens, créés par des auteurs qui n'avaient jamais vu l'Écosse. »

Comme nous l'avons vu dans l'article traitant de la franc-maçonnerie, lorsque la première grande loge fut fondée en 1717, il n'existait pas de « hauts degrés ». Le système n'en comportait que deux, le troisième ne faisant son apparition que vers 1730. Ensemble, ces trois degrés de la maçonnerie sont connus sous le nom de maçonnerie bleue.

En 1737, le chevalier Andrew Ramsey, un Écossais exilé vivant en France – qui avait été un temps le professeur du prince Charles Edward Stuart – fut le « Grand Orateur » des francs-maçons français. Cette année-là, il prononça un discours qui devait inextricablement et pour toujours lier les références écossaises à la franc-maçonnerie. Tout cela eut lieu dans un contexte de troubles religieux et politiques qui agitaient l'Europe.

Les historiens et érudits s'accordent à dire que le discours de Ramsey était de nature principalement mythologique. Il semble avoir voulu accorder à la franc-maçonnerie un lignage noble et chevaleresque qui manquait peut-être dans l'aspect simplement « artisanal » de la franc-maçonnerie anglaise. Les Français adorèrent que des hauts grades de chevalerie comptant les degrés templier et rosicrucien fassent leur apparition. L'idée la plus audacieuse de Ramsey fut de prétendre que la franc-maçonnerie avait été en réalité fondée du temps des croisades, comme en atteste cet extrait de son discours, cité dans *La Quête de la clef celtique* de Karen Ralls-MacLeod et Ian Robertson :

« À l'époque des croisades, de nombreux princes, seigneurs et citoyens se réunirent et firent le vœu de restaurer le Temple des Chrétiens en Terre promise, et de s'employer à en faire revivre l'architecture de l'époque de sa fondation. Ils s'accordèrent sur plusieurs signes et mots symboliques tirés du puits de la religion, afin de se reconnaître parmi les impies et les Sarrasins. Ces signes et mots ne devaient être communiqués qu'à ceux qui faisaient le serment solennel, et parfois même au pied de l'autel, de ne jamais les révéler. Cette promesse sacrée n'était donc pas un serment exécrable, comme on l'a dit, mais un lien respectable unissant des chrétiens de toutes nationalités en une seule confraternité. Peu après, notre ordre se lia aux Chevaliers de Saint-Jean de Jérusalem. C'est à partir de cette époque que nos loges prirent le nom de loges de Saint-Jean. »

Plus loin :

« Les rois, princes et seigneurs revinrent de Palestine dans leurs contrées et ils y établirent différentes loges. À l'époque des dernières croisades, de nombreuses loges apparurent en Allemagne, en Italie, en Espagne et en France, puis en Écosse, en raison de l'étroite alliance entre les Français et les Écossais. James, lord Stewart d'Écosse, fut grand maître d'une loge établie à Kilwinning, dans l'ouest de l'Écosse peu après la mort d'Alexandre III, roi d'Écosse. Peu à peu nos loges et nos rites furent négligés dans la plupart des pays. C'est pourquoi, parmi tant d'historiens, seuls ceux de Grande-Bretagne parlent de notre ordre. Cependant il préserva sa splendeur parmi les Écossais auxquels le roi de France avait confié pendant des siècles la garde et la protection de leurs royales personnes. »

Ramsey ne proposait pas de créer de nouveaux rites, mais c'est exactement ce qui résulta de sa conférence ; très vite, la franc-maçonnerie écossaise naquit. Les termes « Écosse » et « écossais » devinrent la marque des ordres chevaleresques d'élite de style templier. En 1738, fut publiée *In Eminenti,* première bulle papale attaquant les francs-maçons. La première loge affectée par la bulle était, fait intéressant, une loge de Rome composée de partisans exilés de la monarchie Stuart. Bien que la plupart des francs-maçons français fussent catholiques, donc soumis à l'autorité du Pape, la bulle ne les découragea pas. De France, la Maçonnerie écossaise se répandit rapidement en Europe et en Amérique, et plus de 1 100 degrés apparurent durant les années suivantes, formant plus de 100 rites différents.

Beaucoup n'eurent qu'une brève existence, mais mentionnons l'Ordre royal d'Écosse, le degré Rose-Croix, le Rite écossais rectifié ainsi que le Rite écossais ancien et accepté.

En 1761, Stephen Morin reçut l'autorisation de développer dans le Nouveau Monde un système de 25 degrés, connu sous le nom de rite de Perfection. À partir des Antilles, cette forme de franc-maçonnerie se répandit sur le continent américain. Le passage du Rite de perfection de 25 degrés à un système à 33 degrés se produisit en 1786. Le nombre de degrés du nouveau système reposait sur une allusion aux trente-trois ans de la vie du Christ. En 1802 fut adopté le nom de Suprême Conseil du trente-troisième degré, mais il fut changé en 1804 pour Rite écossais ancien et accepté, en accord avec le Suprême Conseil de France. Pourtant, le Rite écossais ne s'implanta en Écosse qu'en 1846.

La création définitive de ce que nous appelons aujourd'hui Rite écossais eut lieu lorsque Albert Pike, général confédéré et franc-maçon, devint le Souverain Grand Commandeur de la juridiction sud en 1859, fonction qu'il assuma jusqu'à sa mort en 1891. Il est célèbre pour avoir réécrit et développé les rituels, rédigeant un livre que certains considèrent comme la « bible » du Rite écossais, *Les Morales et Dogmes de la Franc-maçonnerie du Rite écossais ancien et accepté* publié en 1871.

Il est dit dans toute la franc-maçonnerie qu'il n'existe pas de degrés plus élevés que les degrés bleus : apprenti, compagnon et maître. Cependant, l'exclusivité du trente-troisième degré en fait l'un des grades les plus prisés. Les degrés dits plus élevés sont censés apporter plus de précisions, afin d'aider les membres à réfléchir sur les enseignements de la maçonnerie bleue. Le symbolisme est abondant et très sophistiqué dans tout le Rite écossais.

L'aigle à deux têtes, ou phénix, est l'insigne des derniers degrés du Rite écossais et il est présenté comme une interprétation alchimique semblable aux noces chimiques chères aux rosicruciens. Citons le frère G. Peters, trente-deuxième degré :

« En tant que maçons de Rite écossais, puissions-nous entreprendre la tâche d'analyser et de purifier notre nature, d'être aussi fiers, nobles, augustes et chauves que l'aigle qui est notre symbole, montrant à nos esprits la voie directe de l'ascension vers les cieux, portant nos âmes jusqu'au trône même de toute création. »

L'emblème est appelé par beaucoup « L'aigle à deux têtes de Lagash », Lagash étant une cité antique sumérienne. Charlemagne l'adopta vers 802, quand il monta sur le trône, les deux têtes représentant l'union de Rome et de l'Allemagne. Son usage semble être parvenu dans la franc-maçonnerie avec le Rite français de perfection vers 1758, et il fut l'emblème du Conseil des Empereurs de l'Orient et de l'Occident à Paris.

Les successeurs de ce conseil devinrent les Suprêmes Conseils du trente-troisième degré dans le monde entier. On dit que le fondateur du Rite écossais était en fait le roi Frédéric II de Prusse, dont les armes portaient l'aigle bicéphale. Ce dernier était certes franc-maçon, mais cette prétendue paternité n'est sans doute qu'une légende propagée par les auteurs maçonniques Albert Pike et Albert Mackey pour donner une origine encore plus prestigieuse à leur ordre.

Dans *Le Symbole perdu*, alors que Robert Langdon traverse en courant la salle du temple de la Maison du Temple, il passe devant un buste en bronze d'Albert Pike, clin d'œil de Dan Brown aux origines du Rite écossais.

Bien que l'on parle de 33 degrés, il n'y en a en pratique que 29. Les trois premiers sont les degrés de la maçonnerie symbolique, les degrés 4 à 32 étant les degrés proprement dits. Le dernier degré est honorifique et décerné aux membres en récompense de services exceptionnels à la franc-maçonnerie. Comme il est dit aux membres :

« Les sublimes princes du Royal Secret du trente-deuxième degré, de pas moins de trente-trois ans d'âge, lors d'une session annuelle du Suprême Conseil, peuvent être élus Souverains Grands Inspecteurs généraux du trente-troisième et dernier degré, membres honoraires du Suprême Conseil, par un vote unanime à bulletins secrets. Cet honneur est conféré en raison de "services exceptionnels rendus à la Fraternité ou pour des services à d'autres qui apportent du crédit à l'Ordre. Les membres honoraires ont le droit d'être présents à toutes les sessions du Suprême Conseil, excepté les sessions exécutives, à s'y exprimer, mais pas à y voter. Les Souverains Grands Inspecteurs généraux du trente-troisième et dernier degré peuvent être élus membres actifs du Suprême Conseil lors de ses réunions annuelles. »

Le Suprême Conseil Mère du Monde, qui est la Grande Loge du Rite, comme on l'apprend dans *Le Symbole perdu*, est la Maison du Temple à Washington. Le système de degrés qu'il utilise est le suivant (les noms diffèrent légèrement selon les juridictions) :

4e degré Maître secret
5e degré Maître parfait
6e degré Secrétaire intime
7e degré Prévôt et Juge
8e degré Intendant des bâtiments
9e degré Maître élu des Neuf
10e degré Illustre élu des Quinze
11e degré Sublime Chevalier élu
12e degré Grand Maître Architecte
13e degré Chevalier de la Royale Arche de Salomon

14e degré Grand Élu parfait et Sublime Maçon ou
Grand Élu de la Voûte sacrée
15e degré Chevalier d'Orient ou de l'Épée ou de l'Aigle
16e degré Prince de Jérusalem
17e degré Chevalier d'Orient et d'Occident
18e degré Souverain Prince Chevalier Rose-Croix
19e degré Grand Pontife
20e degré Maître *ad vitam*
21e degré Noachite ou Chevalier prussien
22e degré Prince du Liban
23e degré Chef du Tabernacle
24e degré Prince du Tabernacle
25e degré Chevalier du Serpent d'airain
26e degré Prince de Mercy ou Trinitarien écossais
27e degré Grand Commandeur du Temple
28e degré Chevalier du Soleil
29e degré Grand Écossais de Saint-André d'Écosse
30e degré Chevalier Kadosh
31e degré Grand Inspecteur inquisiteur
32e degré Sublime Prince du Royal Secret
33e degré Souverain Grand Inspecteur général

Robert Langdon explique que les membres du Rite connaissent la Maison du Temple sous le nom de Heredom. *Heredom* est également le titre du journal des transactions annuelles de la Société de recherches du Rite écossais.

Cependant, Heredom est en fait plus célèbre pour son lien avec l'Ordre royal d'Écosse, un ordre complètement différent. Il date d'environ 1740 et continue de perpétuer un rituel du XVIIIe siècle presque inchangé. Son siège mondial est en Écosse, à sa grande loge d'Edimbourg. L'Ordre royal comprend deux degrés, l'Heredom de Kilwinning et le Chevalier Rose-Croix.

En 1877, l'autorité maçonnique Kenneth Mackenzie écrivit :

« Heredom a été successivement associé à l'Ordre royal d'Heredom en Écosse, avec le mot Heroden, nom d'une montagne écossaise, et aux mots grecs signifiant *sacré* et *maison* ; en conséquence, le titre de Rose-Croix d'Heredom signifierait Rose-Croix de la Maison sacrée. »

La Maison de la Rose-Croix (Maison du Temple), que Robert Langdon affirme aussi splendide que la chapelle de Rosslyn en Écosse, est une construction achevée en 1915 pour devenir la demeure « spirituelle » du Rite. C'est une stupéfiante réplique de l'une des Sept Merveilles du monde, le mausolée d'Halicarnasse, le mot « mausolée » venant du nom du roi Mausole qui y fut enseveli.

La Maison du Temple n'est pas seulement un temple maçon, c'est aussi un mausolée. En 1944, puis en 1953, avec la permission du Congrès des États-Unis, les dépouilles des Souverains Grands Commandeurs Albert Pike et John Henry Cowels furent déposées dans des cryptes, de part et d'autre du « puits de lumière ».

Pour conclure sur les références du *Symbole perdu* à la franc-maçonnerie de haut degré, les cryptes secrètes et la parole perdue sont une allégorie qui imprègne toute la franc-maçonnerie. Le secret est que le grand trésor n'est pas perdu, qu'il n'est pas matériel, mais qu'il est caché ou endormi dans chacun de nous et qu'il attend d'être dévoilé.

VOIR ÉGALEMENT : Franc-maçonnerie, Heredom, Maison du Temple.

FRANKLIN, BENJAMIN

Benjamin Franklin fut un autre de ces hommes brillants et autodidactes qui, sans les contraintes de l'éducation moderne, eurent la chance de pouvoir cultiver leurs talents et leurs intérêts. Bien que né à Boston, il s'installa à Philadelphie, ville qui jouissait d'une plus grande liberté religieuse. C'est là qu'il est inhumé et que se trouve le monument qui lui rend hommage. Sa famille était originaire du village anglais d'Ecton, dans le Northampshire. Franklin eut la curiosité de visiter ce berceau séculaire et de retrouver ses racines durant les dix-huit mois qu'il passa à travailler en Angleterre, mais il resta toujours fidèle à l'Amérique.

L'un de ses nombreux talents était celui du maniement des nombres, comme en témoigne son habileté à concevoir des carrés magiques, grilles dont les nombres sont disposés de telle façon qu'ils produisent toujours la même somme, verticalement, horizontalement et diagonalement. Dans *Le Symbole perdu*, c'est le carré 8 × 8 de Franklin qui fournit la séquence permettant de déchiffrer une série de symboles mystiques.

Vers l'âge de douze ans, Franklin commença son apprentissage à l'imprimerie de son frère James. C'était le dixième enfant de la famille, et il adorait la lecture, bien qu'ayant terminé sa scolarité à dix ans. Son père espérait qu'il deviendrait prêtre, mais ne pouvant financer les études nécessaires et voyant son intérêt pour les livres il décida que l'imprimerie serait la voie du jeune Benjamin. Son frère James avait commencé à publier la gazette du *New English Courant* en 1721, et Benjamin désirait y écrire. Il proposa, sous le pseudonyme de Silence Dogood (Le silence est d'or), des articles qui furent considérablement appréciés, mais les deux frères se fâchèrent et Benjamin quitta le journal et la ville.

Établi à Philadelphie, il travailla comme imprimeur avec la famille Read et rencontra à cette époque sa future épouse, Deborah. En 1724, il se rendit à Londres où il continua d'apprendre le métier d'imprimeur tout en menant une vie mondaine frénétique. Il publia là-bas une brochure intitulée « Dissertation sur la liberté et la nécessité, le plaisir et la peine », où il expliquait que l'homme n'est pas responsable de ses actes puisqu'il ne dispose pas de véritable libre arbitre. Il jugea plus tard que la publication de ce texte avait été une erreur.

Un ami, Thomas Denham, lui donna l'occasion de retourner à Philadelphie en 1726. Bien que Denham mourût rapidement, Franklin ouvrit deux ans plus tard sa propre imprimerie et devint le propriétaire et l'éditeur de la *Pennsylvania Gazette.*

Il épousa Deborah Read en 1730, bien qu'elle fût déjà mariée avec un homme qui l'avait abandonnée. Durant leur vie commune, elle demeura à Philadelphie avec William, fils illégitime de Franklin, et ils eurent par la suite deux enfants : Franky, qui mourut en bas âge, et Sarah, pendant que son mari voyageait en Europe.

Le mouvement déiste était très influent aux États-Unis au XVIIIᵉ siècle et Franklin en fut indubitablement un partisan. Celui-ci soutenait qu'un être suprême (c'est-à-dire Dieu) avait créé l'univers et qu'observer l'ordre naturel et faire usage de raison pouvait se faire en l'absence de toute religion organisée. Ce concept de liberté individuelle et l'introduction de la raison dans le champ de la religion était à bien des égards reliés à l'esprit d'investigation qui régnait à l'époque.

Sous le pseudonyme de Richard Saunders, il rédigea *L'Almanach du Pauvre Richard :* « Servir Dieu est faire le bien de l'homme, mais prier est considéré comme un service plus aisé et c'est donc le choix le plus commun. » Sa méfiance envers les faux-semblants de la religion explique qu'il fréquentait assez peu les églises.

David Holmes, dans *La Religion des Pères fondateurs*, l'explique :

> « Son petit-fils n'étant pas en mesure d'épouser une jeune femme en France parce que ses parents s'opposaient à une union avec un protestant, Franklin affirma que les différences de religion n'avaient aucune importance dans un mariage, puisque toutes les religions étaient en gros les mêmes. »

Le concept maçonnique de dieu unique qui peut être adoré de tous transparaît dans cette citation et il y est fait allusion dans *Le Symbole perdu*.

Franklin s'impliqua beaucoup dans la fondation de la première bibliothèque par souscription des États-Unis et de la Société philosophique américaine. Celle-ci tirait son origine du Club du Tablier de cuir, fondé par Franklin en 1726 à son retour de Londres. Corinne Heline décrit ainsi ce club dans *Les Guides invisibles de l'Amérique* :

> « Lors d'une cérémonie profondément mystique, ressemblant étroitement dans la forme à la maçonnerie, les membres de ce club s'engageaient "à construire un univers de paix, fondé sur l'amour et d'où la crainte serait absente". »

Il joua un rôle essentiel en convainquant des personnalités influentes que Philadelphie allait devenir une ville saine et sûre. La reconnaissance des talents de Benjamin lui valut d'être nommé adjoint du Maître de Poste de Philadelphie puis d'Amérique du Nord, période durant laquelle il mit sur pied un service continu entre New York, Philadelphie et Boston.

Alors qu'il élargissait son cercle de relations, il rejoignit la franc-maçonnerie, mais, bien qu'il ait prononcé très sérieusement ses vœux, il n'en fit pas mention dans son autobiographie. Il semble qu'il ait été un franc-maçon assidu, assistant régulièrement aux tenues et qu'il soit devenu grand maître de Pennsylvanie.

Heureux en affaires, il put se retirer en 1748 de son affaire d'imprimerie où il ne joua plus qu'un rôle d'actionnaire. Disposant dès lors de temps pour se consacrer à ses intérêts personnels, il entreprit de fabriquer des choses utiles pour ses contemporains. Parmi ses inventions, citons un poêle plus sûr et efficace, des jumelles et un instrument de musique (le glassharmonica, composé de 37 coupes en verre). Dans *L'Almanach du Pauvre Richard* de 1737, il consigna sa philosophie : « La plus noble question à se poser dans le monde est : quel bien puis-je y accomplir ? ».

Il s'intéressa également à l'électricité, qui le fascinait. Lors d'un orage, il eut l'audace de lancer son célèbre cerf-volant afin de vérifier que la foudre était de l'air électrifié véhiculant une charge électrique. Il inventa ensuite le paratonnerre. Franklin utilisait des tiges effilées, alors que ses confrères anglais préconisaient des tiges émoussées ; la querelle finit par n'être plus que l'une des nombreuses divergences entre les colons américains et le Royaume d'Angleterre.

Partisan des droits coloniaux, Franklin retourna en Angleterre en 1757 pour tenter de négocier avec la famille Penn, qui avait reçu une vaste portion de terres en Pennsylvanie dès 1681 et dont la région tire son nom. L'Assemblée de Pennsylvanie désirait pouvoir taxer les terres de la famille afin de trouver les fonds nécessaires à la construction de forts pour défendre le territoire. Bien que son entreprise ait échoué, il gagna un grand respect dans la haute société anglaise. Durant son séjour en Angleterre, il changea de position politique et se convainquit de la nécessité pour l'Amérique de se libérer de son statut de colonie.

Les exploits scientifiques de Franklin furent reconnus en Angleterre par son élection à la Royal Society de Londres, et il reçut la médaille Copley pour ses découvertes en électricité. Dans *Le Symbole perdu*, la Royal Society est liée à l'Invisible College, dont les membres auraient compté sir Isaac Newton, sir Francis Bacon et Robert Boyle. Ces derniers étaient morts à l'époque de Franklin, mais nul ne remettrait en cause sa présence aux côtés de tels grands hommes.

Revenu en Amérique en 1775, il soutint activement la cause de l'Indépendance, comprenant que le roi d'Angleterre et ses ministres avaient peu de chances de parvenir à un accord avec les colons. À sa grande réprobation, son fils William, qui devint le dernier gouverneur du New Jersey nommé par le roi George III, resta fidèle à la Couronne.

Franklin est l'un de ceux qui rédigèrent la Déclaration d'indépendance en 1776, ce qui fait de lui un des Pères fondateurs des États-Unis. Il participa également au comité qui conçut le Grand Sceau des États-Unis, mais la devise qu'il proposa − « La rébellion contre les tyrans est l'obéissance à Dieu » − ne fut pas adoptée.

Entre 1776 et 1778, Franklin séjourna en France avec deux autres délégués pour tenter de convaincre l'ennemi héréditaire de l'Angleterre de soutenir l'Indépendance américaine. La délégation parvint à ses fins, et Franklin connut une immense popularité auprès des savants et de l'aristocratie. Cette époque tumultueuse de l'histoire de France, où grandissaient l'intérêt pour la philosophie et les premières loges maçonnique, était un moment fascinant. Franklin aurait été admis à la loge parisienne Les Neuf Sœurs.

Il devint ministre américain (ambassadeur) auprès de la France un an après que fut conclue l'alliance entre la France et les 13 États d'alors, en 1778. Une anecdote célèbre raconte que lorsque le grand Thomas Jefferson lui succéda à ce poste en 1785, on lui demanda alors s'il remplaçait

Franklin. Il répondit : « Je ne suis que son successeur »
– personne pour lui n'aurait pu le remplacer.

L'année précédant sa mort, Franklin rédigea un traité
contre l'esclavage. Jeune homme, il avait possédé des
esclaves et en avait fait le négoce, mais devenu sénateur de
Pennsylvanie et président de la Société contre l'esclavage de
cet État, il eut le courage de changer d'opinion. En 1790,
il réclama au Congrès l'abolition de l'esclavage.

Il mourut à quatre-vingt-quatre ans. Environ 20 000 personnes assistèrent à ses obsèques.

Benjamin Franklin connut une longue vie bien remplie.
Il ne réussit pas tout ce qu'il entreprit, mais on peut dire
qu'il se distingua à bien des égards. Homme d'affaires, poli-
ticien, diplomate, inventeur, savant, écrivain, fonctionnaire
et philanthrope, il mérite sa place dans l'Histoire.

L'épitaphe qu'il rédigea pour lui-même dans sa jeunesse
après la mort de son ami Denham lui rend un juste hommage :

« La dépouille de B. Franklin, imprimeur, comme la
couverture d'un vieux livre, son contenu arraché, et
dénué de ses lettres et dorures, gît ici, proie de la ver-
mine. Mais l'œuvre ne sera point entièrement perdue,
Car, comme il le croyait, elle reparaîtra, dans une édition nouvelle et plus parfaite, corrigée et colligée par
l'auteur. »

VOIR ÉGALEMENT : Carrés magiques, Franc-maçonnerie, Royal
Society et Invisible College.

FREEDOM PLAZA

Freedom Plaza est une place de Washington, située tout près de la Maison-Blanche, au carrefour de Pennsylvania Avenue et des 13ᵉ et 14ᵉ Rues.

Pour Robert Langdon et Katherine Solomon, cette place offre une utile diversion lorsqu'ils se rendent comptent que leur chauffeur de taxi transmet leur position à la CIA. L'emplacement de la station Metro Center, où trois lignes de métro se croisent, leur permet de tromper leurs poursuivants et de les semer tandis qu'ils s'enfuient vers leur prochaine destination.

La station de métro est en réalité située deux rues au nord-est de la place, contrairement à l'impression donnée dans le roman. Robert Langdon doit sans aucun doute l'énergie nécessaire pour courir jusqu'à l'entrée de la station aux longueurs de bassin qu'il effectue chaque jour. La Blue Line se dirige effectivement vers Alexandria, comme le laisse penser le subterfuge de Langdon et Solomon, tout comme la Red Line mène au nord vers Tenleytown, où ils doivent descendre pour gagner la cathédrale. Quiconque aurait envie de suivre les pas de Langdon devrait garder à l'esprit que le site Web de la cathédrale invite à prendre un bus depuis la station de métro pour couvrir les deux derniers kilomètres – distance passée sous silence dans *Le Symbole perdu*.

La place, à l'origine nommée Western Plaza, fut rebaptisée en 1980 en l'honneur de Martin Luther King, qui rédigea son célèbre discours – « J'ai fait un rêve » – dans le Willard Hotel voisin.

En accord avec la tradition, attestée dans *Le Symbole perdu*, de déposer des objets dans les fondations des sites historiques, une capsule temporelle, contenant une bible et d'autres effets personnels de Martin Luther King, a été enfouie sous la place et doit être exhumée en 2088.

Le couple d'architectes Robert Venturi et Denis Scott Brown ont conçu la place comme une plate-forme surélevée, sur laquelle des pavés noirs et blancs représentent en partie le tracé rectiligne du plan original dessiné en 1791 par Pierre L'Enfant pour la capitale. L'architecte du XVIIIᵉ siècle avait conçu Pennsylvania Avenue, qui longe un côté de la place, comme une voie solennelle reliant le Capitole, siège du Congrès, à la Maison-Blanche, siège de la Présidence. Le défilé traditionnel de l'investiture des présidents depuis le Capitole jusqu'à la Maison-Blanche exploite totalement l'aspect cérémonial de cette avenue.

On y trouve également une plaque de bronze représentant le Grand Sceau des États-Unis d'Amérique, comprenant les deux devises « *Annuit coeptis* » et « *Novus ordo seclorum* ». C'est ce sceau de bronze qu'utilisent Robert Langdon et Katherine Solomon avec le billet d'un dollar pour échapper aux griffes de la CIA.

Au bout de la place se dresse une statue de l'éblouissant Casimir (Kazimierz, en polonais) Pulaski. Cet officier de l'armée de Pologne fit à Paris en 1776 la connaissance de Benjamin Franklin qui le recommanda à George Washington comme volontaire dans la cavalerie. Il arriva en Amérique en 1777 et, fait avéré, combattit aux côtés de Washington à la bataille de Brandywine, où il lui sauva la vie – d'où la statue qui lui rend hommage. Il mourut en 1779 de ses blessures à la bataille de Savannah. Le sculpteur Casimir Chodzinski et l'architecte Albert Ross conçurent la statue et son piédestal, érigés en 1910.

VOIR ÉGALEMENT : Grand Sceau des États-Unis, Pierre L'Enfant.

GLANDE PINÉALE

Cette minuscule partie du cerveau régit le fonctionnement de plusieurs systèmes métaboliques. Elle est aussi investie par certains d'un lien symbolique avec ce qui est appelé « le troisième œil ».

Dans *Le Symbole perdu*, Robert Langdon et Katherine Solomon discutent du cerveau humain et de la glande pinéale. Elle participe à l'état de méditation et elle produit une substance capable de soigner l'organisme, assimilée à la manne qui nourrit les Hébreux dans le désert.

Katherine et Robert discutent de l'idée que le « temple » mentionné dans la Bible soit en fait l'esprit humain. Katherine cite les Corinthiens pour appuyer sa thèse.

Sceptique, Langdon argumente que le Temple possède une partie interne et une partie externe, séparées par un voile. Il pense peut-être à la description du Temple, présentée ainsi dans certaines traductions de l'Exode (26 :33) : « Le voile te servira de séparation entre le lieu saint et le lieu très saint. »

Une fois de plus, Katherine remarque que les deux parties du cerveau sont séparées par une « membrane évoquant un voile ». Que la Bible emploie ou non une métaphore pour désigner le cerveau humain, la glande pinéale continue d'attiser l'intérêt des scientifiques comme des philosophes.

Cette glande mesure environ 7 millimètres et se situe près du centre du cerveau entre les deux hémisphères. Elle produit une hormone appelée mélatonine, qui régule les rythmes biologiques de l'organisme. Quand la rétine est stimulée par la lumière, des impulsions sont envoyées par le nerf optique à une partie du cerveau appelée hypothalamus. De là, les nerfs sympathiques les transmettent à la glande pinéale et inhibent la production de mélatonine. En conséquence, quand aucune lumière n'atteint l'œil, par exemple la nuit, ces signaux n'inhibent plus la production de mélatonine et cela peut conduire l'organisme à déclencher le sommeil. La mélatonine a été isolée en 1958. Elle est reconnue comme remède au décalage horaire et à d'autres troubles du sommeil, tandis que les affections comme le malaise hivernal peuvent être liées à sa production.

Comme pour nombre d'autres questions d'anatomie, la première description de la glande pinéale nous vient de Galien (130-210 avant J.-C.), médecin et philosophe grec dont les découvertes furent suivies jusqu'au XVIIe siècle. C'est lui qui la baptisa ainsi en raison de sa ressemblance avec la pomme de pin – *pinus pinea* en latin. Pour Galien, la fonction de la glande était de soutenir les vaisseaux sanguins et il réfutait toute autre idée comme la régulation dans le cerveau de ce que l'on appelait le « souffle » (*pneuma*).

Pour René Descartes, philosophe français du XVIIe siècle, la glande pinéale était « le siège de l'âme ». Il écrivit en décembre 1604 :

> « Puisque c'est la seule partie solide du cerveau qui soit unique, elle doit nécessairement être le siège du sens commun, *id est* de la pensée, et conséquemment de l'âme ; car l'un ne peut être séparé de l'autre. »

Il affirma aussi : « Ma vue est que cette glande est le siège principal de l'âme et le lieu dans lequel toutes nos pensées sont formées. »

La glande pinéale intéressa Mme Helena Blavatsky, auteur ésotérique et fondatrice de la Société théosophique en 1875, qui la relia à l'œil de Shiva ou troisième œil. Pour elle, la glande pinéale de l'homme moderne était le vestige d'un « organe de vision spirituelle ».

Chez certains animaux, les pinéalocytes, les cellules de la glande pinéale ressemblent beaucoup aux photorécepteurs de l'œil, et on a découvert des fossiles de vertébrés primitifs portant une ouverture pinéale qui corroborent l'idée de cette glande comme un troisième œil. La glande pinéale est associée au sixième chakhra, que l'on appelle le troisième œil. Dans l'enseignement indien, elle est appelée *gyananakashu*, ou œil de la connaissance, et de nombreux Hindous portent pour le souligner une marque dite *tilak* entre les sourcils. L'emplacement chez les Égyptiens anciens de l'*uraeus*, ou coiffe du cobra, au centre du front, révèle une croyance similaire au troisième œil.

VOIR ÉGALEMENT : Grand Sceau des États-Unis, Manly P. Hall, Œil omniscient, Symbolisme des nombres.

GRAND ARCHITECTE DE L'UNIVERS

Au début du *Symbole perdu*, alors que Robert Langdon donne une conférence sur les symboles occultes, il est fait mention du Grand Architecte de l'Univers. Il déclare que les maçons utilisent ce terme, ainsi que d'autres expressions non spécifiques comme Être suprême, pour permettre aux individus de religions différentes de se réunir.

Le Grand Architecte de l'Univers a fini par être intimement associé au langage et au symbolisme maçonniques. Cependant, l'origine du terme ne se trouve pas dans les rites de cette société secrète, mais dans le christianisme. Il est intéressant de noter que différents groupes, notamment chrétiens, ont vu dans le terme « Grand Architecte de l'Univers » une preuve que la franc-maçonnerie est une société anti-chrétienne, alors que ce terme apparaît dans les écrits chrétiens et sous la plume de ses fidèles érudits.

Le réformateur Jean Calvin utilisa fréquemment le terme dans son œuvre brillante sur les questions théologiques, *L'Institution de la religion chrétienne* en 1536, mais il ne fut pas le premier auteur chrétien à le faire. Cette œuvre allait former les bases du culte de la plupart des églises réformées et presbytériennes. Calvin appelle Dieu le Grand Architecte de l'Univers, qualifiant ses œuvres naturelles d'« architecture de l'Univers », à une dizaine de reprises. Il rédigea également un commentaire sur le psaume 19 dans lequel il appelle Dieu « Grand Architecte de l'Univers ». Les idées de Calvin ont influencé beaucoup de monde au cours des siècles, notamment le révérend James Anderson.

Celui-ci était un presbytérien écossais à la tête d'une congrégation de Swallow Street, à Londres, de 1710 à 1734. Il fut aussi un éminent maçon de la Grande Loge d'Angleterre. En 1723, Anderson rédigea la première édition des *Constitutions*, l'un des premiers manuels les plus importants sur l'art de la franc-maçonnerie présentant un ensemble de règles, pour la plupart encore en vigueur aujourd'hui.

Anderson avait fait ses études à l'université d'Aberdeen, où les étudiants étaient formés selon le livre de Calvin, *L'Institution de la religion chrétienne*. C'est probablement là qu'il rencontra l'expression Grand Architecte de l'Univers, qu'il incorpora dans ses *Constitutions*. Dan Brown s'est peut-être inspiré de ce maçon influent pour le nom de son personnage Trent Anderson.

Les traditions maçonniques indiquent que l'expression « Grand Architecte de l'Univers » se réfère à la plus haute divinité sans la nommer, afin que les hommes de toutes croyances, races et religions puissent devenir membres de la fraternité. En d'autres termes, cette expression peut s'appliquer à la divinité de votre choix. La franc-maçonnerie, comme le précise Robert Langdon dans *Le Symbole perdu*, exige en fait que l'on croie à une puissance spirituelle supérieure, une grande divinité qui, dans les faits, est considérée comme le maître architecte et maçon. Nombre de chrétiens pensent que cette vision de Dieu le fait paraître plus abstrait et lointain.

Dans *Franc-maçonnerie : une interprétation*, Martin L. Wagner écrit :

« Dans sa doctrine concernant l'immanence divine, la franc-maçonnerie est définitivement panthéiste, partageant les différentes nuances de cette vision du divin. Dieu le Grand Architecte de l'Univers est "l'âme" de l'univers qui est lui-même le vêtement dont il s'enveloppe... La vision maçonnique de la révélation de Dieu, dans les degrés inférieurs, est déiste, mais dans les degrés supérieurs, elle devient panthéiste. Les écrits de Garrison, Buck, Pike et autres éminents maçons le démontrent sans équivoque. C'est cette conception panthéiste particulière de la divinité qui s'est transmise depuis l'Inde par le biais des doctrines secrètes de la kabbale jusque dans la franc-maçonnerie spéculative moderne. Dans la maçonnerie, un Dieu distinct de la vie de la nature n'a pas d'existence. »

Certains groupes rosicruciens utilisent le titre pour qualifier l'Être suprême de leur système de croyances. L'hermétisme fait également allusion à ce concept d'Unique dans ses enseignements. Pour les hermétistes, nous avons tous sans exception le potentiel d'être Dieu, dans un idéal qui est conçu comme intérieur et non extérieur – très différent de la notion chrétienne de Dieu. Dans l'hermétisme, c'est un univers créé par un observateur que nous habitons, chacun de nous créant sa propre réalité et étant doté de la faculté de créer un Dieu en nous. C'est ce qui me paraît la description de Dieu la plus proche de l'idéal maçonnique du Grand Architecte de l'Univers.

La divinité maçonnique, le Grand Architecte de l'Univers, est une force spirituelle qui peut être interprétée comme une divinité existentielle ou véritablement comme une connexion intérieure avec la singularité de l'univers, comme une ligne directe avec Dieu que nous aurions en chacun de nous.

VOIR ÉGALEMENT : Franc-maçonnerie, Hermétisme, Rosicruciens.

GRAND SCEAU DES ÉTATS-UNIS

Dans *Le Symbole perdu*, Robert Langdon et Katherine Solomon débattent des théories du complot autour du Grand Sceau des États-Unis. Ils visitent également Freedom Plaza, où ils étudient l'immense reproduction en bronze du Grand Sceau qui s'y trouve. Dans leurs discussions, il est clair que les éléments constitutifs du Grand Sceau sont en fait de nature maçonnique et pourraient être les symboles d'idées plus mystérieuses et ésotériques qui concernent la fondation des États-Unis.

Le 4 juillet 1776, le Congrès continental entreprit de créer un emblème national, un grand sceau qui serait utilisé comme symbole d'indépendance et de souveraineté, une signature qui serait reconnue par toutes les autres nations. Voici sa déclaration d'intentions :

« Déclaration unanime des 13 États-Unis d'Amérique Quand, dans le cours des actions humaines, il devient nécessaire pour un peuple de dissoudre les liens politiques avec un autre et d'assumer parmi les puissances du monde, le statut égal et distinct que les lois de la Nature et le Dieu de la Nature lui accordent de droit, un honnête respect des opinions de l'humanité exige qu'il déclare les raisons qui le poussent à cette séparation.

Nous considérons ces vérités comme évidentes, que tous les hommes ont été créés égaux, qu'ils sont dotés par leur Créateur de certains droits inaliénables, parmi lesquels la vie, la liberté et la quête du bonheur. Que pour assurer ces droits, ceux-ci sont instaurés parmi les hommes des gouvernements qui tirent leurs pouvoirs légitimes du consentement des gouvernés. »

La supervision de la création du Grand Sceau fut confiée à Charles Thomson en 1782 après que plusieurs comités se furent réunis pour s'accorder sur les éléments qui devaient y figurer.

En août 1776, Benjamin Franklin avait proposé que le revers du Grand Sceau porte la devise « La rébellion aux tyrans est l'obéissance à Dieu ». Bien qu'elle n'ait pas été adoptée pour le Grand Sceau lui-même, Franklin l'utilisa sur son sceau personnel. Un projet final fut adopté en juin 1782 et en septembre de la même année : le premier Grand Sceau officiel fut gravé et utilisé pour la première fois sur un document daté du 16 septembre 1782. Son apparence est en grande partie restée inchangée.

Pour l'avers, Thomson choisit un aigle chauve d'Amérique, aux ailes étendues et levées, tenant dans sa serre droite un rameau d'olivier et une gerbe de flèches dans la gauche. Au-dessus de l'aigle est placée une constellation de treize étoiles, accompagnée de la devise latine « *E pluribus unum* », « Un parmi plusieurs », sur un ruban que l'aigle tient dans son bec. L'oiseau porte sur sa poitrine un écusson orné de bandes rouges et blanches.

Pour le revers, Thomson utilisa un élément que le troisième comité avait adopté : la pyramide tronquée surmontée de l'œil de la Providence. Il ajouta autour de l'œil un pyramidion, comme l'avait proposé le premier comité en 1776. Deux devises y figurent : « *Novus ordo seclorum* », « Un nouvel ordre des siècles » et « *Annuit coeptis* », « La Providence a favorisé nos entreprises ».

Voici les commentaires de Charles Thomson sur le symbolisme du motif :

« Remarques et explications − 20 juin 1782
L'écusson est composé de chef et de pal, les deux plus

honorables. Les pièces en pal représentent les États réunis en un, soutenant le Chef, qui réunit le tout & représente le Congrès. La devise exprime cette union. Les pals sont étroitement unis par le Chef qui dépend pour son soutien de cette union et de la force qui en résulte, afin de signifier la Confédération des États-Unis d'Amérique et la préservation de leur union grâce au Congrès.

Les émaux des pals sont les mêmes que ceux du drapeau des États-Unis d'Amérique : le blanc signifie la pureté et l'innocence, le rouge la bravoure et la valeur et le bleu, couleur du Chef, la vigilance, la persévérance et la justice. Le rameau d'olivier et les flèches indiquent le pouvoir de paix ou de guerre qui est exclusivement dévolu au Congrès. La Constellation indique un nouvel État prenant sa place et son rang parmi les autres puissances souveraines. L'écusson est porté sur la poitrine d'un aigle américain sans autre soutien pour dénoter que les États-Unis d'Amérique doivent s'appuyer sur leur propre vertu.

Revers. La pyramide signifie force et durée : l'œil la surmontant et la devise font allusion aux nombreuses interventions de la Providence en faveur de la cause américaine. La date au-dessous est celle de la Déclaration d'indépendance et les mots au-dessous signifient l'avènement de la nouvelle ère américaine, qui commence à partir de cette date. »

Il est intéressant de noter que Charles Thomson n'était pas franc-maçon ; d'après nos informations, un des seuls francs-maçons impliqués dans la conception du Grand Sceau était Benjamin Franklin, dont les éléments et idées ne furent finalement pas retenus.

En y regardant de plus près, le prétendu symbolisme maçonnique du Grand Sceau peut être considéré sous un autre jour. Le Grand Sceau comporte certainement des significations mystérieuses et symboliques, mais aucune n'est clairement maçonnique.

En 1935, Henry A. Wallace, qui devait devenir le trente-troisième vice-président des États-Unis sous Franklin D. Roosevelt, voulait faire figurer les deux faces du Grand Sceau sur le nouveau billet d'un dollar. Wallace et Roosevelt étaient tous deux d'éminents maçons, et nombre des théories du complot maçonnique concernant le dessin du Grand Sceau datent sans aucun doute de cette époque.

Cependant, il n'est pas nécessaire que les symboles et les éléments qui forment le Grand Sceau aient été dès le départ de nature maçonnique pour faire partie d'un complot du symbolisme. Il est certes vrai que l'œil planant au-dessus de la pyramide inachevée fut adopté dès la conception du Grand Sceau comme un symbole quasi maçonnique et que la pyramide est généralement considérée comme mystérieuse et symbolique. Mais ni l'un ni l'autre ne sont des symboles maçonniques antérieurs à la conception du Grand Sceau.

Dans *Le Symbole perdu*, Katherine Solomon, à l'arrière du taxi, dessine une étoile de David au-dessus de la pyramide inachevée du dollar. Cela sert ensuite de tactique de diversion pour que Robert Langdon et elle puissent s'enfuir dans le métro et échapper à la CIA. La scène illustre une accusation de conspiration portée par nombre d'anti-maçons et de partisans de la théorie du complot : il y a une signification ésotérique cachée dans le Grand Sceau et elle est de nature maçonnique. C'est tout simplement inexact, bien que cela ne signifie pas non plus que des gens comme Thomson n'étaient pas membres d'autres groupes clandestins ou qu'ils n'avaient pas de sympathies ou d'inclinations maçonniques. La conspiration et le mystère ne sont pas nécessairement associés à un seul groupe, et il n'y a peut-être ni conspiration ni mystère. Il est fort possible

qu'en cette époque tumultueuse de révolutions, de soulève-
ments et de fondations, les symbolismes sacré et profane
aient été utilisés par bon nombre des fondateurs de la jeune
nation.

VOIR ÉGALEMENT : Billet d'un dollar, Franc-maçonnerie.

GRANDE PYRAMIDE

Les pyramides jouent un rôle important dans les pages du *Symbole perdu*. Une petite pyramide tronquée est révélée comme un indice visuel capital, ainsi que son pyramidion miniature. Dans tout le roman, la quête de la pyramide maçonnique devient un thème central, à mesure que les personnages visitent les nombreux sites mystérieux et symboliques de Washington.

La pyramide dite maçonnique, accompagnée de son pyramidion, est en fait la pyramide telle qu'elle se présente sur le Grand Sceau des États-Unis et sur le billet d'un dollar. Elles ont toutes leur origine dans la Grande Pyramide de Gizeh en Égypte.

Des Sept Merveilles du monde antique, c'est la seule qui nous soit parvenue et se dresse majestueusement sur le plateau de Gizeh aux abords du Caire, la tentaculaire capitale d'Égypte. Réduisant à la taille d'une fourmi quiconque l'approche, cette masse de plus de 2,6 millions de mètres cubes ne manque jamais d'impressionner. Bien que certaines voix discordantes affirment que les preuves matérielles manquent ou sont trompeuses, la grande majorité des égyptologues hésitent à peine à attribuer la propriété de ce monument au pharaon Khnum-Khuf, plus connu sous le nom de Khéops. Tout près se dressent deux autres énormes pyramides, celle de Khephren et la plus petite, mais tout aussi impressionnante, de Mykérinos. Enfin, non loin se trouve l'immense et mystérieuse construction à corps de lion et tête humaine : le Sphinx.

Dans leur brillant ouvrage, *Le Mystère du Sphinx*, Robert et Olivia Temple avancent que ce sphinx était à l'origine

Mélancolie I, la célèbre et mystérieuse gravure d'Albert Dürer.
Remarquez le carré magique dans le coin supérieur droit,
qui contient la date 1514.

Le Capitole, à Washington.

La rotonde du Capitole.

Le Capitole vu depuis le Washington Monument.

Le tombeau de Washington, sous la crypte, ne fut jamais utilisé.

La crypte du Capitole.

Ci-dessus : L'Apothéose de Washington, de Brumidi.
Détail : Les étoiles de la voûte, symbolisant l'infini.
Ci-dessous : George Washington trônant sur un arc-en-ciel.
Page de droite : Statue de George Washington représenté sous les traits de Zeus.

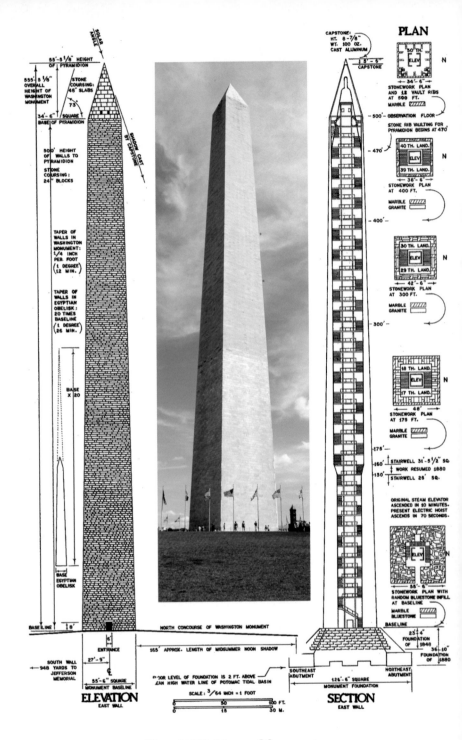

Plans du Washington Monument.

Le Washington Monument en cours d'achèvement.

La Maison du temple, à Washington.

La cathédrale nationale de Washington.

Le Centre de soutien du Smithsonian Museum (SMSC).

une représentation du dieu Anubis sous la forme d'un chien allongé.

En outre, il existe de nombreuses pyramides de moindre taille, certaines pour des reines et une pour le *ka* (corps spirituel) du roi, et d'autres constructions que le visiteur a tendance à ne pas remarquer, étant attiré vers la principale comme la limaille par l'aimant.

Près des monuments de leur maître, les chefs des serviteurs possèdent leurs propres tombeaux, des mastabas, qui ont de loin l'allure de bancs et sont édifiés de manière à ce qu'ils puissent se rassembler fidèlement après leur mort autour du monument de leur roi. Pourtant, la Grande Pyramide, avec ses 147 mètres de hauteur et ses 2 300 000 blocs de pierre pesant environ deux tonnes et demie chacun, rend insignifiants ces autres monuments.

Khéops serait monté sur le trône vers 2609 avant J.-C. et aurait régné vingt-cinq ans, mais selon certaines sources son règne fut deux fois plus long. À son achèvement, la pyramide dut éblouir tout le monde, car les blocs de calcaire friable que nous voyons aujourd'hui étaient recouverts d'un revêtement blanc poli évoquant le marbre. Au soleil, le spectacle devait être stupéfiant.

On estime qu'au XIIIe siècle un séisme détacha certaines plaques du revêtement, donnant l'idée aux Cairotes de les utiliser pour leurs propres constructions. La mosquée du sultan Hassan, au Caire, ainsi que d'autres monuments, en bénéficièrent.

De l'extérieur, la pyramide donne l'impression d'une construction massive de blocs étroitement joints, mais ceux qui s'aventurent à l'intérieur constatent rapidement qu'elle cache de longs corridors. Certains font partie de la construction d'origine, et l'un d'eux, celui par lequel entrent les visiteurs actuels, fut creusé par le calife Abbasside Abdullah Al-Maïmoun, fils d'Haroun al-Rashid (immortalisé dans les *Mille et Une Nuits*) au IXe siècle de notre ère. Elle comporte également de vastes chambres, l'une d'elles ayant peut-être été la chambre funéraire. Hérodote, bien qu'il ait vécu bien plus tard, affirme clairement que Khéops n'a pas été inhumé dans la Grande Pyramide.

Parmi les autres mystères de la Grande Pyramide, notons les puits d'aération – dit « des étoiles » – partant des chambres de la reine et du roi. Le débat fait encore rage sur la manière dont la pyramide fut conçue et construite. Le monument a été étudié et mesuré minutieusement, et a inspiré bon nombre de théories, prophéties et commentaires – les auteurs des plus bizarres ayant reçu le sobriquet de « pyramidiots ».

L'une des choses qui a toujours fasciné les auteurs, votre serviteur y compris, est le fait qu'aucun corps n'ait jamais été découvert dans aucune des pyramides de l'Ancien Royaume. Cela a amené à se demander si les pyramides en général et la Grande Pyramide en particulier n'étaient pas plutôt des temples initiatiques, jouant un rôle de carte céleste, alignées sur des étoiles et des constellations spécifiques. Cette idée apparaît dans les pages du *Symbole perdu*.

Dans *Le Mystère Orion*, Robert Bauval et Adrian Gilbert avancent la théorie selon laquelle les trois pyramides de Gizeh sont en fait alignées sur les trois étoiles de la Ceinture d'Orion. Cette théorie a reçu autant de critiques que d'éloges, les égyptologues défendant d'un côté la théorie traditionnelle du tombeau, et les chercheurs modernes et new-age soutenant de l'autre Bauval et Gilbert.

Dans *La Chambre secrète* de Robert Bauval, l'auteur souligne que divers groupes ésotériques et secrets s'intéressent sérieusement aux constructions du plateau de Gizeh depuis de nombreuses années. Parmi eux se trouvent des ordres et des associations maçonniques. Un autre groupe, le Projet Millenium, avait l'intention d'organiser un grand spectacle auprès des pyramides la veille du millénaire.

En effet, il manque à la Grande Pyramide son *benben* ou capuchon, et lors de ce spectacle le groupe avait l'intention de déposer un capuchon symbolique doré au sommet de la pyramide et de diffuser une « célébration des exploits de l'humanité et des perspectives d'avenir par le biais d'un défilé d'images et de voix, culminant avec l'illumination spectaculaire de "l'œil du Soleil"» ou "Ain Sham" au sommet des pyramides ». Le motif de l'œil du Soleil est en fait le même œil flamboyant de l'imagerie maçonnique qui se retrouve sur le billet d'un dollar et sur le Grand Sceau des États-Unis ; on l'appelle également œil de la Providence ou œil omniscient.

Dans l'enthousiasme suscité par la perspective de la dépose du capuchon, la prophétie faite par le voyant et guérisseur américain Edgar Cayce (1877-1945) revint dans les mémoires : quand un tel capuchon serait placé sur la pyramide, un nouvel ordre mondial fondé sur les principes maçonniques s'ouvrirait. La prophétie annonçait également qu'une Salle des archives serait découverte sous les pattes du Sphinx. La Fondation Edgar Cayce a d'ailleurs entrepris des fouilles à Gizeh dans l'espoir de la trouver.

Ce que les organisateurs semblaient tenter de faire, c'était de saluer l'avènement du nouveau millénaire avec un rituel ésotérique qui aurait rendu à la Grande Pyramide son intégrité, avec son capuchon, et ouvert une ère nouvelle de lumières et de raison.

Malheureusement, cela ne put se réaliser, car les journaux locaux, estimant qu'il s'agissait d'une sorte de complot maçonnique et anti-islamique, firent pression sur le gouvernement égyptien pour l'annuler. Les supposés liens maçonniques avec la prophétie suscitèrent beaucoup d'émoi et, presque à la dernière minute, le ministre de la Culture égyptien annonça que pour éviter d'endommager la pyramide et par égard pour les réserves du public, la cérémonie n'aurait pas lieu. La franc-maçonnerie est interdite par la loi égyptienne. Certains médias rapportèrent que des ex-présidents, des Premiers ministres, divers chefs d'état et dirigeants d'entreprise avaient prévu d'y assister.

VOIR ÉGALEMENT : Billet d'un dollar, Franc-maçonnerie, Grand Sceau des États-Unis, Œil omniscient.

HALL, MANLY PALMER

Mystique, sage, ésotériste, historien, philosophe, chercheur : Manly P. Hall était tout cela, et plus encore. C'est une citation de son grand œuvre, *Les Enseignements secrets de tous les âges*, qui figure au frontispice du *Symbole perdu*. Pourquoi Dan Brown utilise-t-il cette citation, et d'ailleurs qu'est-ce au juste qu'un sage ?

Manly Palmer Hall naquit dans l'Ontario, au Canada, le 18 mars 1901. Élevé par sa grand-mère maternelle, il arriva aux États-Unis encore enfant. Il dévora les livres, étudiant des textes sur les traditions de mystères, la philosophie et l'occulte. Il estimait qu'aucune religion ne détenait toutes les réponses ; au contraire, il fallait étudier toutes les traditions de sagesse et y ajouter philosophie et science. Hall devint rapidement un conférencier régulier de la région de Los Angeles, exposant à son public qu'il fallait étudier les mythes, légendes et symboles du monde antique pour atteindre une sagesse universelle.

À l'âge de vingt-cinq ans, Hall entreprit d'écrire son grand œuvre, *Les Enseignements secrets de tous les âges*, qui devint l'un des livres les plus influents jamais écrits sur l'ésotérisme et l'occultisme et reste, selon votre serviteur, un monument de savoir et de philosophie du genre. Sa rédaction prit six années, pendant lesquels Hall visita méticuleusement l'Égypte, le Moyen-Orient et la Grèce, ainsi que des régions d'Asie et d'Europe. Il publia d'abord en 1928 cet incroyable ouvrage à compte d'auteur, ce qui lui coûta la somme, exorbitante pour l'époque, de 100 000 dollars.

Hall était alors un habitué de la salle de lecture du British Museum de Londres. Voici ce qu'il en dit :

« Le grand centre d'apprentissage de l'Angleterre est le British Museum, avec ses kilomètres de rayonnages, devant lesquels De Quincy se lamenta parce qu'il ne pourrait jamais lire tous ces livres. Afin d'accéder aux deux principaux départements du musée – celui des livres rares et celui des manuscrits –, il était nécessaire d'être convenablement introduit. J'eus la bonne fortune de faire la connaissance du général sir Francis Young-husband, l'homme qui mena l'expédition britannique au Tibet en 1903-1904 et campa avec son armée au pied du Potola [*sic*] de Lhassa. Lors d'un dîner à l'Officer's Club, sir Francis me confia qu'il était connu comme le conquérant du Tibet mais qu'il considérait cela comme un douteux honneur. La vérité, déclara-t-il, était que la religion et la philosophie tibétaines l'avaient conquis. Un billet de sir Francis me donna immédiatement accès aux salles les plus précieuses du British Museum et je fus en mesure d'examiner les originaux des livres et manuscrits les plus inestimables au monde. »

Nous ignorons comment Manly P. Hall finançait ses voyages et ses recherches, mais selon la légende il bénéficiait des largesses secrètes de l'épouse d'un magnat du pétrole de Californie. Elle aurait assisté à l'une de ses conférences à Los Angeles et, très impressionnée par le jeune orateur, lui aurait proposé de financer sa quête du savoir, lui proposant de construire une bibliothèque qui accueillerait des documents rares et obscurs glanés aux quatre coins du monde. Un biographe récent de Hall prétend que ce furent Caroline Lloyd et sa fille Estelle, d'une très riche famille de Ventura, qui le financèrent.

Quelles qu'aient été ses bienfaitrices, Hall voyagea beaucoup. Après ses innombrables expéditions, il se convainquit que c'était par l'étude comparative des religions que la véritable sagesse pouvait être trouvée, et il se mit en devoir d'en apprendre le plus possible non seulement sur les principales religions d'Orient et d'Occident mais aussi sur les mystères de nombreuses sectes ou ordres moins connus.

En raison du succès de ses conférences, son influence dans les cercles ésotériques grandissait, tout comme le nombre de ses disciples. Il devint rapidement la coqueluche de l'élite et finit par être perçu comme une sorte de gourou : un véritable sage américain.

En 1934, il fonda à Los Angeles la Société de recherche philosophique. Elle fonctionne encore aujourd'hui et propose des conférences et des cours, tout en publiant et vendant des livres. Elle abrite l'une des plus complètes bibliothèques au monde d'ouvrages ésotériques et occultes. Carl Jung l'aurait fréquentée alors qu'il formulait ses nombreuses théories sur la psychologie.

On trouve dans la cour du bâtiment une plaque annonçant : « Consacrée aux chercheurs de vérité de tous les temps ».

Les photos du jeune Manly P. Hall montrent un homme aux allures d'acteur de cinéma rayonnant de charisme. Parmi ses partisans, il compta des politiciens, des musiciens et des magnats des affaires ; on raconte que même Elvis Presley était un de ses fans. Elvis aurait envoyé son épouse Priscilla à l'une de ses conférences, car il craignait les assauts de la foule s'il s'y rendait en personne. Devant cette gloire et cette popularité nouvelles, Hall écrivit : « Tous les disciples qui se proposent d'adorer et de diviniser leurs maîtres sont sur la mauvaise voie : les êtres humains, comme le prouve l'expérience, font de meilleurs humains qu'ils ne font de dieux. »

Aujourd'hui, Manly P. Hall et son œuvre paraissent poussiéreux et obscurs, en décalage avec la conception que nous avons désormais de la sagesse antique. Hall n'était pas un mégalomane avide de reconnaissance publique comme l'est le milieu new-age actuel. Il comprenait les mystères avec plus de subtilité, de profondeur et d'une manière plus personnelle. C'était un véritable penseur et, doué d'une mémoire photographique, il était capable de se rappeler quantités de choses.

Il eut une grande influence entre la fin des années 1920 et le début des années 1930. Il se lia d'amitié avec l'écrivain et peintre mystique russe Nicholas Roerich, et les deux hommes trouvèrent rapidement un terrain d'entente dans leur amour pour l'œuvre d'Helena Blavatsky, fondatrice russe du mouvement connu sous le nom de théosophie. Les deux hommes fréquentaient des cercles exaltés, et on dit même qu'ils furent à l'origine de l'idée de faire figurer le Grand Sceau des États-Unis sur le nouveau billet d'un dollar. Hall était bien sûr familier de ce symbolisme et il en aurait perçu la signification ésotérique.

Pour Manly P. Hall, les États-Unis étaient prédestinés à occuper une place particulière dans le monde. C'est avec cette idée à l'esprit qu'il écrivit dans *Le Destin secret de l'Amérique* :

« Il y a des millénaires, en Égypte, ses ordres mystiques étaient au fait de l'existence de l'hémisphère ouest et du grand continent que nous appelons Amérique. Il fut audacieusement décidé que ce continent occidental deviendrait la demeure de l'empire philosophique. Il est impossible de savoir à quelle époque cela fut fait, mais la décision fut certainement prise avant Platon, car c'est une allusion à peine voilée à cette résolution qui constitue la substance de son traité sur les îles Atlantiques. »

Hall fut également un partisan de la théorie selon laquelle sir Francis Bacon était le véritable auteur des pièces de Shakespeare.

En 1973, lors d'une cérémonie à la Société de recherches philosophiques, Manly Palmer Hall fut initié au trente-troisième degré du Rite écossais de la franc-maçonnerie. Maçon depuis longtemps, auteur de nombreux textes sur le

sujet, il reçut cette distinction honorifique en reconnaissance de son étude de cet art et de sa philosophie.

Sa mort en 1990 est aussi mystérieuse que l'est sa vie.
À quatre-vingt-neuf ans, de santé fragile, il fut retrouvé
apparemment mort depuis plusieurs heures avec des milliers
de fourmis sortant de sa bouche et de son nez, grouillant
tout autour de lui. Les questions entourant son décès n'ont
jamais eu de réponse, bien que beaucoup aient spéculé (sans
jamais le prouver) que son assistant avait causé sa mort pour
bénéficier de son héritage.

Ce qu'il nous laisse demeurera longtemps dans nos
esprits. *Les Enseignements secrets de tous les âges* reste une
œuvre de référence pour ceux qui s'intéressent aux mystères
et aux vérités anciennes, et sa bibliothèque (qui par ailleurs
intéressait beaucoup le président Franklin D. Roosevelt) est
un témoignage de sa quête de savoir et de son amour des
anciennes traditions de mystères.

VOIR ÉGALEMENT : Billet d'un dollar, Grand Sceau des États-
Unis.

HEREDOM

Dans *Le Symbole perdu*, Robert Langdon découvre le mot « Heredom » après avoir trouvé la solution d'une énigme. Alors que la pleine signification de l'indice apparaît, les personnages comprennent qu'ils doivent trouver une pyramide située sous l'Heredom. L'endroit en question est la Maison du Temple, siège du Rite écossais maçonnique, connu sous le nom d'Heredom. Une source maçonnique donne l'explication suivante pour ce terme :

> « Heredom, 1. Terme important dans la franc-maçonnerie de "haut degré", présent dans les rituels rose-croix français où il qualifie une montagne mythique d'Écosse, site légendaire du premier chapitre. Parmi les explications possibles : *Hieros-domos*, grec pour "Maison sacrée", *Harodim*, hébreu pour "superviseurs", latin pour "de leurs héritiers". 2. Les transactions annuelles de la Société d'études du Rite écossais. »

Ainsi, Heredom serait une montagne mythique d'Écosse, site d'un chapitre de francs-maçons pratiquant des rituels rosicruciens français. Comment une montagne écossaise a-t-elle pu acquérir un statut aussi légendaire ?

Selon le chercheur Barry Dunford, la montagne en question pourrait bien être le Schiehallion, au centre du pays, à une centaine de kilomètres au nord d'Edimbourg. Dunford y voit un mont Sion du Nord et avance qu'il pourrait s'agir de la « Montagne de l'Assemblée » dont il est question dans Isaïe (14 :13). Bien que cette analogie soit douteuse, il est certain que le Schiehallion est considéré depuis des siècles comme une montagne mystérieuse et sacrée.

Dunford cite une source intéressante concernant les origines de Heredom comme lieu maçonnique sacré. Il souligne qu'un auteur français, le chevalier de Berage, écrivit en 1747 :

« Leur loge métropolitaine est située sur la montagne d'Heredom où la première loge fut tenue en Europe et qui existe dans toute sa splendeur. Le Conseil général s'y tient encore et c'est le sceau du Souverain Grand Maître en fonction. Cette montagne se situe au nord-ouest de l'Écosse, à cent kilomètres d'Edimbourg. »

Le Schiehallion correspond très bien à cette description. La montagne, avec son sommet conique et sa forme pyramidale, considérée par le passé comme le centre de l'Écosse, était un lieu de pèlerinage spirituel.

Aujourd'hui, *Heredom* est le titre du journal de la Société d'études du Rite écossais, envoyé à ses membres chaque année depuis 1992.

VOIR ÉGALEMENT : Maison du Temple.

HERMÉTISME

Dans *Le Symbole perdu*, l'expression « Ainsi en haut, ainsi en bas » joue un rôle crucial dans la quête de Robert Langdon. En fait, c'est la clef perdue qui permet à tout le mystère de se mettre en place.

Le principe est également le credo de l'hermétisme, une tradition philosophique mystique apparue dans la cité d'Alexandrie en Égypte aux alentours du Ier siècle de notre ère. Ce principe renonçait au dogme codifié, à l'autorité du clergé et à la séparation de Dieu et de l'homme, proposant à la place la foi en l'illumination intérieure, déclarant que chacun devait aspirer à la connaissance personnelle du divin et la rechercher. Les croyances hermétistes, fruit du syncrétisme alexandrin, furent fortement influencées par le néoplatonisme et la gnose, tout comme par les pensées ptolémaïques égyptienne, judaïque et chrétienne. Toutes ces croyances sont réunies dans des écrits sous le nom d'hermétisme.

L'hermétisme englobe des sujets tels que la philosophie, le mysticisme, la magie, l'astrologie, l'alchimie ou la médecine. Ses textes sont attribués à Hermès Trismégiste (« Hermès Trois-Fois Grand »), figure centrale de la doctrine. Hermès Trismégiste était le produit de la fusion de Thot, dieu égyptien du Savoir, de l'Écriture et de la Magie, et d'Hermès, dieu grec de la Communication, des Inventions, du Langage et des Voyages. Les deux présidant à des domaines proches, ils furent combinés dans l'Égypte ptolémaïque pour devenir le grand dieu très révéré Thot-Hermès, qui connaissait tous les secrets du Ciel et de la Terre, secrets qui pouvaient être révélés à ceux qui en étaient dignes par le biais de la magie et des rêves.

Au début de la période chrétienne, Hermès Trismégiste était considéré tel un sage antique mis sur un pied d'égalité avec Moïse, Pythagore et Zoroastre, bien qu'ayant une existence plus ancienne. La raison du surnom « Trois-Fois Grand » est obscure. Certains textes hermétiques avancent que c'était en raison de ses trois incarnations (les deux précédentes étant Énoch et Noé) ou parce qu'il était à la fois philosophe, prêtre et roi. Cependant la Table d'émeraude (sans doute l'œuvre la plus concise et la plus célèbre sur la philosophie hermétique, attribuée à Hermès Trismégiste lui-même) déclare que ce titre lui fut accordé en raison de son savoir dans les trois sciences de l'univers : l'alchimie, l'astrologie et la théurgie. Le dieu égyptien Thot ayant droit à ce titre bien avant la rédaction des textes hermétiques, il semblerait donc qu'Hermès Trismégiste ait simplement poursuivi une longue tradition depuis son origine égyptienne.

Les œuvres et les enseignements philosophiques qui nous sont parvenus indiquent que les textes hermétiques formaient autrefois un vaste ensemble. Le recueil le plus important qui ait survécu est connu sous le nom de *Corpus Hermeticum*, composé de 18 traités provenant d'Alexandrie et rédigés en grec. On estime qu'il date d'entre les Ier et IIIe siècles de notre ère et aurait été écrit ou dicté par Hermès Trismégiste, croyance qui a perduré jusqu'au XVIIe siècle, bien qu'on soupçonne aujourd'hui que le *Corpus* ait été l'œuvre de plusieurs auteurs sur une période étendue.

Après l'introduction générale fournie dans le premier livre, le second, intitulé *Poimandrès* (« Berger des Hommes ») relate une révélation faite à Hermès Trismégiste par un être supérieur du même nom. Les livres suivants rapportent les dialogues entre Hermès et ses disciples sur certains aspects de la philosophie hermétique : sagesse cachée et secrets de l'univers.

Si le *Corpus* est rédigé en grec, ses auteurs revendiquent davantage un héritage égyptien, à la lumière du livre XVI qui insiste sur la supériorité de la langue égyptienne sur le grec : « Ce discours, exprimé dans notre langue maternelle, conserve clairement la signification des mots. La qualité même du langage et la sonorité des mots égyptiens possèdent l'énergie des objets dont ils parlent. » Au contraire, ils déclarent qu'en traduisant leurs écrits en grec, « la plus grande déformation » se produit. Si l'on doute que la principale source de ces textes mystiques remonte à l'Égypte ancienne, le style du *Corpus* fait effectivement écho à la longue tradition égyptienne de textes de sagesse.

En 1945, à Nag Hamadi, en Égypte, furent découverts un grand nombre de papyrus comprenant quelques textes hermétiques coptes, certains déjà connus car faisant partie du *Corpus Hermeticum*, ainsi qu'un texte inédit intitulé *L'Ogdoade et l'Ennéade* (soit « Le Huit à partir du Neuf »), qui décrit les huit étapes de l'initiation hermétique menant à la gnose (connaissance spirituelle). Ils étaient accompagnés d'un traité sur l'astrologie et la magie intitulé *Picatrix*, que l'on estime rédigé à Harran, en Turquie, et daté du VIIIe siècle, ainsi que du *Liber Hermetis*, une œuvre du XVe siècle sur l'alchimie et les écrits astrologiques attribuée à Hermès Trismégiste.

Outre le *Corpus*, nous sont parvenus des fragments, des citations et des références par le biais d'auteurs comme Jamblique, Porphyre et des théologiens chrétiens primitifs comme Clément d'Alexandrie (vers 150-212), dont les textes indiquent la connaissance des œuvres hermétiques. L'*Anthologie* de Stobée (vers 500) contient elle aussi une quarantaine de passages et de fragments de la pensée hermétique.

Pourtant, *La Table d'émeraude* reste le texte définitif sur la philosophie hermétique. Dans *La Voie de l'Occident* (1997), John Matthews déclare que c'est « l'un des documents les plus profonds et les plus importants qui nous soient parvenus. Il a été dit plus d'une fois qu'il contient la somme de tout le savoir – pour ceux qui sont capables de le comprendre ».

C'est dans *La Table d'émeraude* que se trouve le principe « Ainsi en haut, ainsi en bas ». La copie la plus ancienne de cette œuvre figure dans le *Livre de Balinas le Sage sur les causes*, un récit arabe datant d'environ 650, qui raconte comment, jeune encore, Balinas aurait découvert la Table d'émeraude dans une grotte de Tyana, en Syrie. L'origine de cette table, si elle a vraiment existé, est incertaine ; mais la légende raconte qu'elle fut écrite par le fils d'Adam, qui la grava pour racheter les péchés de son père et permettre ainsi à l'homme d'acquérir le savoir nécessaire pour parvenir à la rédemption. Des récits apocryphes postérieurs déclarent qu'Alexandre le Grand découvrit la Table d'émeraude dans le tombeau d'Hermès près de l'oasis de Siwa, et l'emporta avec lui en quittant l'Égypte, pour la dissimuler dans un lieu secret. C'est Balinas qui la découvrit des années plus tard et passa sa vie à écrire, expliquer et développer les idées qu'elle contenait.

La Table d'émeraude affirme que « ce qui est en bas correspond à ce qui est en haut et que ce qui est en haut correspond à ce qui est en bas, afin d'accomplir les miracles de la Chose unique ». Elle précise également que « la structure du microcosme est en accord avec la structure du macrocosme », indiquant que l'univers est le reflet de la terre et vice versa, la structure du plus petit atome contenant la structure de tout l'univers et inversement, que le monde de la matière reflète le divin, si bien que l'homme est l'image de Dieu et que Dieu « créa l'homme à Son image ». Ce qui se produit dans un domaine a un effet dans l'autre, que ce soit l'univers matériel ou spirituel. L'humanité, bien qu'existant dans le monde inférieur matériel, recèle cependant en elle l'étincelle divine, il est donc du devoir de l'homme de tenter de s'unir au Divin. Supplier Dieu n'est pas nécessaire, car l'humanité n'est pas une créature mauvaise, souillée par le péché originel, comme le prétend le christianisme. En fait, l'homme lui-même est un dieu. La pensée hermétique déclare : « Ne sais-tu pas que tu es un dieu ? ». C'est cette phrase que Dan Brown met en lumière quand Robert Langdon réfléchit aux enseignements des mystères anciens. L'idée se retrouve dans *L'Apothéose de Washington*, peinte sous le dôme de la rotonde du Capitole, où le premier Président des États-Unis est représenté en train de se transformer en un dieu.

La pensée hermétique, comme l'indique le concept de microcosme/macrocosme, enseignait que tout était un. Michael Baigent et Richard Leigh, dans *L'Élixir et la Pierre*, décrivent la conception hermétiste de l'univers comme :

> « Une unique totalité englobant et imprégnant tout, un tout unique dans lequel toutes dichotomies, toutes distinctions entre corps et âme, esprit et matière, étaient acceptées et harmonieusement intégrées. Tout, à sa manière, était valide. Tout était incorporé dans un dessein exhaustif. Pour les hermétistes, la gnose entraînait une appréhension directe d'une harmonie comprenant toute chose et son intégration avec elle. »

Cette harmonie apportait avec elle l'interconnexion de tout, permettant à l'homme de jouer un rôle actif et de changer ce que la vie lui avait accordé. Il ne serait plus le pion impuissant dépendant du destin et des caprices des dieux ; il pourrait être un participant actif, manipulant le monde autour de lui selon sa propre volonté pour produire des changements d'envergure. Baigent et Leigh expliquent que selon le principe « Ainsi en haut, ainsi en bas », « si tout est effectivement interconnecté, l'homme lui-même [...] pourrait déclencher des événements dans d'autres sphères. Si l'on tirait sur une corde particulière ou sur un fil de la tapisserie de la réalité, quelque chose d'autre, dans une autre partie de la tapisserie, se produirait ».

De tels concepts étaient véhiculés par des symboles, notamment l'hexagramme du sceau de Salomon, avec ses deux triangles imbriqués représentant « Ainsi en haut, ainsi en bas », le masculin et le féminin, l'homme et Dieu. On estimait que ces symboles pouvaient à leur tour produire un changement, idée qui trouva son expression dans des activités comme la magie, l'alchimie et l'astrologie, et amena une nouvelle vision du monde de Dieu et de l'homme. Dans *L'Hermès égyptien*, Garth Fowden déclare que « les procédures de l'alchimie conventionnelle sont strictement la préparation à la purification et la perfection de l'âme ». L'idée hermétiste du macrocosme et du microcosme devenait donc une analogie puissante, exprimée dans l'alchimie par la transmutation du métal vil en or, qui produisait parallèlement une transformation dans l'âme de l'alchimiste.

À Harran, dans la Turquie actuelle, l'hermétisme a joué un rôle important en influençant la science et les mathématiques islamiques, conduisant à de nombreuses traductions d'anciens textes hermétiques par les Arabes, ainsi que la rédaction de nouveaux textes.

Les croisades popularisèrent ces idées dans le monde occidental. Dès la moitié du XIIIe siècle, l'empereur Frédéric donna son approbation à l'étude et à la promulgation de la pensée hermétique. L'un des alchimistes et philosophes hermétiques les plus célèbres de l'époque fut Albert le Grand, et au XIVe siècle Nicolas Flamel fut un célèbre tenant de l'alchimie et de la magie.

Côme de Médicis joua un rôle crucial dans la circulation des textes hermétiques ; il eut donc un effet direct sur la Renaissance en Europe. Vers 1460, il dépêcha Fra Leonardo del Pistoja en Macédoine à la recherche d'œuvres philosophiques. Pistoja rapporta le *Corpus Hermeticum*, qui suscita une telle passion chez Côme qu'il commanda aussitôt une version en latin à son traducteur, Marsile Ficin. Le *Corpus* ainsi traduit suscita un intérêt pour l'hermétisme et l'alchimie qui s'étendit de l'Italie au reste de l'Europe.

À cette époque, quelques ordres hermétiques occultes furent fondés, notamment les Rose-Croix, dont l'emblème était la rose, symbolisant l'âme, et la croix, le monde matériel. La franc-maçonnerie estimait beaucoup les croyances hermétiques, comme il est noté dans *Les Morales et Dogmes de la franc-maçonnerie du Rite écossais ancien et accepté* d'Albert Pike, qui conseille :

« Celui qui désire atteindre la compréhension de la grande parole et la possession du grand secret doit soigneusement lire les philosophes hermétiques, et il atteindra sans aucun doute l'initiation comme d'autres avant lui ; mais il doit prendre, pour clef de leurs allégories, l'unique dogme d'Hermès, contenu dans sa Table d'émeraude ».

VOIR ÉGALEMENT : Alchimie, Franc-maçonnerie, Rosicruciens, Sceau de Salomon.

INSTITUT DES SCIENCES NOÉTIQUES

L'Institut des sciences noétiques (Ions) est une organisation à but non lucratif qui encourage et mène des recherches sur la conscience humaine et son potentiel. Il a été fondé en 1973 par l'astronaute Edgar Mitchell (l'un des rares à avoir marché sur la lune) avec Paul N. Temple, industriel dans le domaine du pétrole.

L'Ions compte à présent plus de 20 000 membres et opère dans une propriété de 80 hectares sur les collines dominant San Francisco. Il édite un magazine trimestriel de 48 pages intitulé *Changement : aux frontières de la conscience*, qui relate les dernières avancées des recherches sur le monde de la conscience.

Dans *Le Symbole perdu*, Katherine Solomon est une scientifique noétique, et il est fait abondamment mention de travaux divers dans ce domaine.

Le mot « noétique » provient du grec ancien *nous*, qui se traduit par « intellect ». L'Ions se destine à explorer la nature de la conscience en utilisant des méthodes scientifiques rigoureuses afin de tenter d'établir un lien entre microcosme et macrocosme, ainsi qu'entre les mondes intérieur et extérieur.

Edgar Mitchell déclare que marcher sur la lune et voir la Terre d'aussi loin l'a profondément affecté. Quelque chose en lui fut changé pour toujours par ce spectacle. Voici comment il le raconte :

« Soudain, au bord de l'horizon lunaire, lentement, avec une immense majesté, émerge un étincelant joyau bleu et blanc, une sphère lumineuse d'un bleu clair semé de voiles blancs tourbillonnants qui s'élève comme une perle dans un océan d'un noir épais et mystérieux. Il me faut un long moment avant de comprendre que c'est la Terre – chez moi. Durant le voyage de retour, en contemplant les quatre cent mille kilomètres d'espace entre les étoiles et la planète dont je viens, je m'aperçois soudain que j'ai ressenti l'univers comme intelligent, aimant et harmonieux. Nous sommes allés sur la lune en techniciens et nous en sommes revenus en humanistes.

Quand je suis parti pour la lune, j'étais un pilote, un ingénieur et un scientifique comme mes collègues. Mais quand j'ai vu la Terre flotter dans l'immensité de l'espace... la présence de la divinité est devenue presque palpable et j'ai su que la vie dans l'univers n'était pas simplement un accident ou le fruit du hasard. »

Deux ans après son retour, il fonda l'Ions. Son travail à l'Institut n'aurait pu être plus différent de ce qu'il faisait à la Nasa. Astronaute, Mitchell avait exploré l'espace interplanétaire ; son travail à l'Ions consistait à explorer l'espace intérieur, l'univers qui occupe nos têtes, mais qui, selon l'Ions, recèle le potentiel d'affecter le monde qui nous entoure.

Une grande partie du travail accompli à l'Ions a des allures de science-fiction. Les chercheurs y étudient des phénomènes qui, quelques siècles plus tôt, auraient été classés comme magiques ou incontestablement du domaine de l'occulte : la vision à distance, la guérison psychique (ou guérison à distance), les expériences de mort imminente et la méditation.

L'un des domaines de la science noétique mentionné dans *Le Symbole perdu* est l'intrication. Les progrès des scientifiques dans la compréhension du fonctionnement des particules au niveau quantique ont des conséquences dans les études sur la conscience. Nous commençons à apprendre que des particules peuvent « communiquer » entre elles même sur de longues distances.

Einstein appela ce phénomène « action surnaturelle à distance » et ne comprit pas totalement le processus, jugeant qu'il s'agissait d'une erreur dans notre compréhension de la mécanique quantique. Cependant, nous savons depuis qu'il est possible que des particules individuelles communiquent entre elles grâce à ce que nous appelons la téléportation quantique, processus par lequel une unité d'information peut être transmise d'une particule à une autre, quelle que soit la distance les séparant.

Certains scientifiques supposent que ces particules utilisent des trous de ver infinitésimaux pour téléporter l'information, afin que les données n'aient pas à voyager plus vite que la lumière. Bien que cette question dépasse le sujet de ce livre, il est évident que si nous commençons à découvrir que des particules peuvent communiquer ainsi par de minuscules trous de ver, cela ouvre la possibilité que nos esprits communiquent avec d'autres particules extérieures à notre corps, et même avec d'autres esprits.

Le Dr Dean Radin, le plus ancien chercheur de l'Ions, écrit dans son livre *Esprits intriqués* que la science de l'intrication pourrait en partie expliquer les facultés parapsychologiques. Le Dr Radin est probablement le visage le plus connu de l'Institut. Il est également l'auteur du best-seller *L'Univers conscient*, qui fournit une excellente introduction aux recherches sur la conscience.

Parallèlement à son travail à l'Ions, le Dr Radin est connu pour son engagement dans le Projet Conscience globale basé à l'université de Princeton. Il a placé des générateurs d'événements aléatoires (GEA) en divers endroits du globe pour vérifier si les événements mondiaux peuvent produire un « pic » chez les GEA – c'est-à-dire des périodes où ils cessent de produire des nombres aléatoires pour générer des séquences plus ordonnées.

Les GEA sont analogues à un simple tirage à pile ou face. Les GEA du Projet Conscience globale produisent 200 tirages à la seconde, mais au lieu de pile ou face ils émettent un 0 ou un 1. En principe, il ne devrait y avoir aucun ordre discernable dans les séquences.

Roger D. Nelson, scientifique travaillant à Princeton à la bibliothèque de Recherches en anomalies d'ingénierie, a été un pionnier dans ce domaine. Il a démontré que la conscience de groupe peut agir sur les GEA, modifiant les séquences aléatoires de données pour leur donner un ordre.

Depuis le lancement du projet en 1998, de nombreux événements importants dans le monde ont provoqué des modifications radicales dans les séquences produites par les GEA ; le résultat le plus controversé du projet est mentionné dans *Le Symbole perdu*.

Le 11 septembre 2001, 37 GEA fonctionnaient au sein du projet et semblèrent effectivement connaître un pic, montrant qu'ils étaient affectés par l'attentat du World Trade Center. Cependant, si les données montrent bien qu'il y eut une réaction dans les GEA alors que le monde entier se rassemblait pour suivre les dramatiques événements, ce n'est pas tout. Les GEA enregistrèrent également des anomalies durant les heures *précédant* les attentats. Le pic le plus aigu avant l'attentat se produisit à 5 h 30, heure de New York, et dura une demi-heure.

Le débat continue de faire rage sur les résultats ; mais, si ceux-ci se révèlent exacts, cela signifie que la conscience globale sur notre planète a la capacité de prévoir les événements importants. Cela pourrait avoir des conséquences profondes sur notre compréhension des pouvoirs de l'esprit humain. L'étude des effets de l'esprit humain sur des phénomènes physiques est abordée dans le livre de Lynne McTaggart, *L'Expérience d'intention*, que Dan Brown mentionne dans son roman.

Quand Edgar Mitchell créa l'Ions, il avait deux objectifs : d'abord, étudier les phénomènes de la conscience humaine et prouver que l'esprit humain est capable de plus grands exploits que la science ne voulait l'admettre à l'époque ; ensuite, « appliquer cette connaissance à l'amélioration de la condition humaine et de la qualité de vie sur la planète ». L'Ions estime avoir atteint le premier objectif en établissant sans le moindre doute que les esprits humains sont interconnectés avec le monde qui les entoure. S'il reste encore beaucoup à faire dans l'exploration de ce domaine, l'Institut réfléchit désormais à aborder la deuxième phase : appliquer ce savoir pour améliorer l'humanité.

La science noétique aura toujours du mal à convaincre les sceptiques de la véracité de ces phénomènes. Mais plus l'Ions et d'autres organisations progresseront, mieux nous comprendrons ce fascinant domaine.

Le Dr Radin, conscient qu'il faudra du temps avant que ces sciences soient largement acceptées, a fait la déclaration suivante au magazine *Sub Rosa* :

> « Gardez à l'esprit que les frères Wright ont réellement volé dans leur aéronef devant des dizaines de témoins, et que les sceptiques continuaient de nier que le vol soit possible. Les vieilles idées sont tenaces, même quand une preuve est évidente. Courte vue, entêtement, incapacité à remettre des idées en question, ignorance de la philosophie, de la sociologie et de l'histoire de la science, peur de bouleverser l'ordre social, d'être ridicule, de s'attaquer à un tabou, etc. La majeure partie des réticences dans la science sont produites par une forme ou une autre de peur. »

Alors que l'esprit humain est capable d'exploits véritablement incroyables, il est aussi capable d'ignorer aveuglément ce qu'il a sous les yeux. La route sera longue, mais peut-être que dans un siècle nous nous rappellerons l'Institut des Sciences noétiques et nous apprécierons la voie qu'il a ouverte.

VOIR ÉGALEMENT : Lynne McTaggart.

JEFFERSON, THOMAS

Thomas Jefferson naquit le 13 avril 1743 en Virginie. Cet homme remarquable qui devint le troisième Président des États-Unis, apprit le grec et le latin avec l'instituteur local. À partir de 1760, il fréquenta le William & Mary College à Williamsburg, en Virginie, où il étudia le droit. C'était un établissement où prévalaient les croyances déistes ; en d'autres termes, nombre de ses professeurs adhéraient à l'idée d'un monde bien ordonné créé par Dieu, mais rejetaient certaines croyances chrétiennes traditionnelles comme les miracles. Jefferson étudia les écrits des penseurs déistes et sa connaissance du français lui permit également d'accéder aux œuvres des penseurs des Lumières.

Durant cette époque, il fut membre de la fraternité Phi Bêta Kappa, qui est la plus ancienne d'Amérique. Elle possédait tous les traits d'une société secrète : rites initiatiques, poignée de main particulière, serment secret et tout un ensemble de règles. Ce sont les mêmes caractéristiques qui définissent des ordres comme la franc-maçonnerie.

En 1779, gouverneur de Virginie et membre du Conseil des visiteurs du William & Mary College, Jefferson joua un rôle essentiel dans la modification de la structure de l'établissement, ce que l'on appelle depuis la « Réorganisation Jefferson ». Ces modifications comprenaient l'abolition de l'école de théologie et la création de chaires de médecine et de langues modernes, entre autres.

Le mariage de Jefferson en 1772 avec Martha Skelton, une veuve, accrut sa fortune ainsi que le nombre d'esclaves en sa possession, aspect problématique du point de vue contemporain. Au cours de sa vie, il posséda en moyenne deux cents esclaves, mais il n'en affranchit qu'une poignée, tous apparentés à Sally Hemings. La rumeur prétendait à l'époque que Jefferson avait eu une relation et plusieurs enfants avec cette esclave afro-américaine. De récentes analyses ADN en ont apporté la preuve, mais certains contestent encore cette liaison.

En 1774, Jefferson fit connaître ses idées sur l'indépendance américaine et publia *Vue sommaire des droits de l'Amérique britannique*. L'année suivante, il fut nommé délégué pour la Virginie auprès du Deuxième Congrès continental à Philadelphie. Il rédigea des résolutions, et en juin 1776 intégra aux côtés de Benjamin Franklin un comité destiné à rédiger une déclaration formelle justifiant la rupture avec la Grande-Bretagne. Le document, aujourd'hui connu sous le nom de Déclaration d'indépendance (qui comprenait ces lignes écrites par Jefferson : « Nous considérons ces vérités comme des évidences ; que tous les hommes naissent égaux... ») fut adopté par le Congrès le 4 juillet 1776.

De retour en Virginie, Jefferson appliqua le principe d'égalité devant la justice. Quand les Anglais lancèrent leur attaque surprise sur la Virginie en 1780, Jefferson fut contraint à une fuite indigne que ses ennemis politiques lui reprochèrent jusqu'à son dernier jour.

Jefferson fut nommé ministre américain auprès de la France, et quand il arriva là-bas en 1784 le pays était plongé dans les troubles politiques précédant la Révolution. Il compta parmi ses amis le marquis de Lafayette, franc-maçon confirmé, qui avait combattu pour la cause de l'Indépendance américaine à la bataille de Brandywine en 1777.

Jefferson rentra aux États-Unis en 1789 pour devenir le premier secrétaire d'État sous George Washington. Il assuma ensuite la fonction de vice-président sous John Adams, de 1797 à 1801. Après une campagne controversée en 1800, il devint le troisième Président des États-Unis et prononça son discours d'investiture en mars 1801 dans le Capitole encore inachevé. Il avait travaillé étroitement avec

Washington sur les plans et la construction de la nouvelle capitale.

Au début de sa présidence, Jefferson démantela le gouvernement fédéral et réduisit la dette nationale. En 1803, il acheta la Louisiane à la France pour 15 millions de dollars. Bien qu'ayant des réserves sur la constitutionnalité de l'acquisition, Jefferson doubla la taille de l'Amérique, qui augmenta de deux millions de kilomètres carrés. Mais la reprise des hostilités en Europe ébranla le commerce américain et l'Embargo Act de 1807 démantela l'économie. Jefferson fut conspué quand il quitta ses fonctions en 1809.

Il se retira dans son domaine de Monticello pour se consacrer à une abondante correspondance et à la supervision de l'université de Virginie.

Dans *Le Symbole perdu*, la Bible de Jefferson est mentionnée. Thomas Jefferson passa seize ans à rédiger *Vie et Morale de Jésus de Nazareth* – texte connu comme la Bible de Jefferson. Persuadé que les enseignements de Jésus avaient été corrompus par diverses interventions au cours des siècles, notamment celles des papes et des prêtres du Moyen Âge, dans sa version de la Bible il supprime les miracles de Jésus et d'autres passages qu'il jugeait irrationnels. Son texte comprenait les paraboles et les enseignements de Jésus, et se terminait par sa crucifixion et sa mise au tombeau. Il ne fut pas publié de son vivant.

Jefferson continua de pratiquer la tradition anglicane et à Philadelphie fréquenta l'église unitarienne. Dans une lettre à un représentant du culte unitarien, Benjamin Waterhouse, il écrit : « Je me réjouis que dans ce bienheureux pays où croyance et esprit d'investigation sont libres, qui n'a abdiqué ses croyances et sa conscience ni devant les rois ni devant les prêtres, la sincère doctrine d'un Dieu unique renaisse, et j'ai foi qu'il n'y ait pas un jeune homme aujourd'hui en vie qui ne meure unitarien. »

Ce fut pour rendre hommage à son ouverture religieuse qu'Uriah P. Levy, officier de marine juif, offrit une statue de Thomas Jefferson à la Nation : la première œuvre d'art érigée dans la rotonde du Capitole. Œuvre de Pierre-Jean David d'Angers, elle fut dévoilée en 1834 et est mentionnée dans *Le Symbole perdu*. Levy acheta également la propriété de Jefferson à Monticello la même année et dépensa des sommes considérables à sa restauration pour l'ouvrir aux visiteurs. Thomas Jefferson était un bibliophile. Il acquit des milliers d'ouvrages sur divers sujets, notamment la science, le monde antique et la philosophie. Durant son séjour en France, il en acheta un bon nombre. Après l'incendie de la bibliothèque du Congrès par les Anglais en 1814, il offrit de vendre au Congrès sa collection, la plus complète des États-Unis. La transaction eut lieu l'année suivante pour 6 487 livres. Jefferson écrivit dans une lettre : « Je ne pense pas que la collection contienne quelque branche de la science que le Congrès souhaiterait exclure... Il n'y a en fait aucun sujet auquel un membre du Congrès ne puisse avoir l'occasion de se référer. »

Quand son vieil ami Lafayette visita l'Amérique en 1824, il vint évidemment à Monticello. Les deux hommes se retrouvèrent ainsi trente-cinq ans après leur rencontre. Dans ses mémoires, Lafayette décrivit Jefferson comme « se portant merveilleusement bien à quatre-vingt-un ans, en pleine possession de toute la vigueur de son esprit et de son cœur ».

Parmi ses nombreux autres exploits, en voici un dont Robert Langdon devrait probablement tout savoir : Jefferson inventa la machine de cryptage à rouleau, ce qui lui valut le titre de « Père de la cryptographie américaine ». La machine se compose de 26 rouleaux de bois sur un axe, les lettres de l'alphabet étant gravées sur le bord de chaque rouleau. Dans *Les Briseurs de codes*, David Khan écrit que « la machine de Jefferson était de loin la plus perfectionnée de son époque ».

Thomas Jefferson mourut dans sa propriété en 1826 le 4 juillet – une date appropriée pour l'auteur de la Déclaration d'indépendance. La veille, il avait posé la question restée célèbre : « Sommes-nous le 4 ? ».

En reconnaissance de son immense contribution, Jefferson est l'un des quatre Présidents à figurer sur la célèbre sculpture du mont Rushmore avec George Washington, Theodore D. Roosevelt et Abraham Lincoln. Ce monument colossal du Dakota du Sud est formé de têtes de 18 mètres de haut taillées dans le granit qui commémorent les cent cinquante premières années de l'histoire des États-Unis. Jefferson mérite sa place parmi les grands dirigeants de l'Amérique pour avoir ancré la démocratie dans ce pays et pour en avoir agrandi le territoire avec l'acquisition de la Louisiane.

Le Jefferson Memorial fut inauguré le 13 avril 1943, deux siècles après sa naissance. Son plan s'inspire de la rotonde de l'université de Virginie, projet personnel de Jefferson, et du Panthéon de Rome. Trois architectes, John Russell Pope, Otto Eggers et Daniel Higgins en furent chargés. Le mémorial se dresse au sud de la Maison-Blanche et du Washington Monument, de l'autre côté du bassin du Potomac. Sur la frise intérieure du dôme, figure une citation de Jefferson : « J'ai prêté serment sur l'autel de Dieu de manifester éternellement mon hostilité contre toute espèce de tyrannie sur l'esprit de l'homme. »

Sur la couverture de l'édition américaine du *Symbole perdu*, figure une séquence de nombres autour d'un cercle. Pour chaque nombre, si vous vous reportez au chapitre correspondant du livre (par exemple, si vous choisissez le nombre 22 et que vous ouvrez le chapitre 22) et prenez la première lettre par laquelle il commence (le chapitre 22 commençant par « *pacing* », il s'agit donc de *P*), la phrase codée par cette séquence de nombres est « Pope's Pantheon » (le panthéon de Pope), allusion au Jefferson Memorial et à son architecte, John Russell Pope. Un autre bâtiment important de Washington dessiné par Pope fut la Maison du Temple, le temple maçonnique qui abrite le siège de la franc-maçonnerie de Rite écossais et fournit le décor d'une scène paroxystique dans *Le Symbole perdu*. En continuant au nord après le Jefferson Memorial et la Maison-Blanche et en remontant la 16ᵉ Rue, vous arrivez à la Maison du Temple.

On a spéculé sur le fait que, comme nombre des Pères fondateurs, Jefferson ait pu être franc-maçon. Aucune preuve écrite n'existe, bien que, si son initiation eut lieu dans une loge française durant la Révolution, les archives ont probablement été perdues. Thomas Jefferson n'a peut-être pas été franc-maçon, mais il ne fait aucun doute que nombre de ses contemporains, pairs, amis et associés furent membres de différentes loges ou associations. Jefferson a donc été en contact avec ces sociétés et devait être tout à fait familier des rites, rituels et symboles de nombre d'entre elles. En outre, il suivit la voie du déisme, ce qui laisse à penser qu'il avait peut-être des sympathies et de la compréhension pour les principes francs-maçons.

VOIR ÉGALEMENT : Maison du Temple.

KRYPTOS

Kryptos est une sculpture exposée au quartier général de la CIA à Langley, en Virginie, qui contient un message codé. Cette sculpture est composée de plusieurs éléments, dont un en métal enroulé en forme de S, portant quatre séquences de texte ; les dalles de granit révèlent des messages en morse sur cuivre ; un compas gravé désigne un aimant naturel et un bassin, entre autres éléments de ce site paysager. Les matériaux utilisés sont du granit rouge poli, du quartz, des plaques de cuivre, de la roche magnétique, des plants de mycanthus, de l'eau et du bois pétrifié.

Kryptos signifie « caché » en grec, et en effet la sculpture recèle un message – et même plusieurs ; mais l'artiste a fait savoir qu'il existe une solution globale, que l'on peut probablement trouver en déchiffrant les différents éléments.

L'auteur de *Kryptos* est James Sanborn. Né à Washington en 1945, il a reçu en 1988 commande de cette œuvre qui a été payée 250 000 dollars et dévoilée en 1990. Depuis, les décrypteurs, dont nombre d'employés de la CIA, ont tenté de percer à jour le message de la sculpture.

Sanborn n'avait jamais conçu de pièce complexe avant celle-ci. D'ailleurs, il ignorait presque tout de la cryptographie. Cependant, en travaillant étroitement avec Ed Scheidt, ancien chef du Centre cryptographique de Langley, il apprit à créer ce code complexe. Scheidt lui enseigna d'abord l'art du chiffrement et du déchiffrement, répertoriant toutes les techniques depuis le XIXe siècle. Mais c'est Sanborn qui inventa l'énigme.

Depuis l'érection de la sculpture, trois des quatre panneaux du principal rouleau en cuivre, connus sous les noms de K1, K2 et K3, ont été déchiffrés. K1 donne la phrase suivante (la faute est, paraît-il, intentionnelle) :

« Entre l'ombrage subtil et l'absence de lumière se trouve la nuance de l'iqlusion. »

K2 est un message plus long, dans lequel « X » indique un saut de ligne :

« C'était totalement invisible comment est-ce possible ? Ils ont utilisé le champ magnétique de la terre X les informations ont été réunies et transmises souterrainement dans un lieu inconnu X sont-ils au courant à langley ? ils devraient c'est enfoui quelque part X qui connaît l'endroit exact ? seulement ww c'était son dernier message X trente-huit degrés cinquante-sept minutes six virgules 5 secondes nord soixante-dix degrés huit minutes quarante-quatre secondes ouest X couche deux. »

K3 se révèle être une partie du texte d'Howard Carter qui raconte le moment où il entra avec lord Carnavon dans le tombeau de Toutankhamon dans la Vallée des Rois en Égypte. Voici le texte complet :

« Lentement, affreusement, lentement les restes des débris du passage qui encombraient la partie inférieure de l'entrée sont enlevées avec des mains tremblantes je fais une petite ouverture dans le côté supérieur droit puis j'agrandis un peu l'orifice j'y glisse une bougie et jette un coup d'œil l'air brûlant qui s'échappe de la chambre fait vaciller la flamme mais un instant plus tard les détails de la salle apparaissent dans la brume X voyez-vous quelque chose q (?) »

La dernière partie du texte, K4, une séquence de 97 caractères, n'a jamais été déchiffrée, dix-neuf ans après l'inauguration de la sculpture. Un groupe de déchiffreurs déterminés s'est constitué sur Internet pour décoder le dernier panneau. Ses 1 300 membres conjuguent leurs efforts et ont prévu de publier un communiqué conjoint si l'un d'eux trouvait une solution.

Une partie du message en morse des autres parties de la sculpture donne ceci :

« SOS, T est notre position, forces de l'ombre et pratiquement invisible. »

On estime que les coordonnées données dans K2 désignent un lieu situé juste au sud-est de la sculpture et laissent entendre qu'il s'y trouve quelque chose d'enfoui. Pour paraphraser la solution de K2 :

« Les informations ont été réunies et transmises souterrainement dans un lieu inconnu. Sont-ils au courant à Langley ? Ils devraient, c'est enfoui quelque part. Qui connaît l'endroit exact ? Seulement WW. »

Nous savons ce que signifie « WW ». À l'époque où *Kryptos* fut érigée, William Webster était le directeur de la CIA. Sanborn déclara lui avoir donné la solution du code – mais a précisé depuis que Webster ne détient pas la solution complète.

Ce texte, allié aux coordonnées, forme une énigme tout à fait intrigante, presque aussi spectaculaire que le roman de Dan Brown.

La vérité est que le sens « caché » de la sculpture *Kryptos* ne concerne pas seulement le code. Quand nous combinons les indices du message décodé avec l'extrait racontant la découverte d'Howard Carter, il apparaît probable que la sculpture désigne un autre objet caché. Cependant, tant que la quatrième portion du rouleau de cuivre ne sera pas décodée, nous devrons attendre.

Et nous risquons d'attendre longtemps. Dans une interview donnée en 2009 au magazine *Wired*, Scheidt, le cryptographe qui forma Sanborn, déclara : « L'énigme va peut-être plus loin que les apparences. Ce n'est pas parce qu'on déchiffre le code qu'on a la réponse. »

Avant la publication du *Symbole perdu*, la rumeur court que *Kryptos* y tiendrait une grande place. Cependant, elle ne joue qu'un rôle mineur dans la version publiée et n'est en aucun cas au cœur de l'intrigue. Nul ne sait si James Sanborn a demandé à ce que la sculpture ne soit pas trop exposée. Des extraits du code déchiffré de *Kryptos* figuraient en effet sur la couverture américaine du *Da Vinci Code*.

En raison de la popularité du *Da Vinci Code*, et à présent du *Symbole perdu*, une chose est certaine : plus de gens voudront s'impliquer dans la résolution de l'énigme de *Kryptos*. Et en réponse à la question posée dans la portion connue sous le nom de K3 : Oui, c'est merveilleux.

VOIR ÉGALEMENT : CIA – Bureau de la sécurité.

L'ENFANT, PIERRE

Un architecte du nom de Pierre Charles L'Enfant est à l'origine du plan géométrique de la ville de Washington, qui fut plus tard modifié par George Washington et Thomas Jefferson avec l'aide d'Andrew Ellicott. Dan Brown, dans *Le Symbole perdu*, lui attribue la paternité des nombreux symboles maçonniques parsemant la ville.

En outre, Brown affirme que le fantôme du pauvre Pierre a été vu hantant le Capitole, tentant d'obtenir le paiement de ses honoraires, en retard de deux siècles. Dan Brown parle également de L'Enfant, ainsi que de George Washington et de Benjamin Franklin, comme de grands maîtres maçons. Il est mentionné ailleurs dans son livre que nombre des monuments de Washington furent consacrés par des francs-maçons.

Qui donc était cet architecte français ? Pierre Charles L'Enfant naquit à Paris en 1754. Son père enseignait à l'Académie royale de peinture et de sculpture, et le jeune Pierre y étudia sous sa férule. En 1776, il s'enrôla comme volontaire dans l'Armée révolutionnaire américaine et se rendit en Amérique avec le marquis de Lafayette.

Ce dernier, malgré son ascendance aristocratique, était dévoué à la cause de l'Indépendance américaine et devint un grand ami de George Washington. Il est attesté que Lafayette était franc-maçon. Au temple maçonnique de Philadelphie, se trouve un tablier qu'il a offert à Washington.

Pierre L'Enfant fut blessé au siège de Savannah et servit par la suite comme ingénieur auprès de George Washington. Le tout jeune Congrès le nomma ingénieur en chef en 1783 en remerciement des services rendus.

Il dessina une médaille et un diplôme pour une compagnie d'officiers, l'Armée révolutionnaire qui se baptisait Société des Cincinnati en référence à Cincinnatus, un légendaire patriote romain des débuts de la République. De retour en France, L'Enfant contribua à la formation d'une branche française de cette société, dont le but était – et est encore – de pérenniser les idéaux des officiers qui participèrent à la guerre de Révolution. En dessinant l'insigne pour la médaille et le diplôme, L'Enfant proposa d'y faire figurer un aigle chauve, car « il est spécifique de ce continent et se distingue de ceux des autres climats par sa tête et sa queue blanches et me paraît donc digne d'attention ».

Pierre L'Enfant retourna en 1784 en Amérique où il gagna sa vie comme architecte. Il entreprit à cette époque un étrange projet : Morris House, à Philadelphie, une flamboyante folie qui ne fut jamais achevée. Robert Morris avait commandé une vaste demeure, mais l'architecte fut si ambitieux qu'il devint évident que son concept était beaucoup trop extravagant.

En 1788, il fut demandé à Pierre L'Enfant de transformer l'Hôtel de Ville de New York pour qu'il puisse accueillir le tout nouveau gouvernement fédéral. Pour symboliser les 13 États nouvellement indépendants, il utilisa un aigle tenant dans ses serres 13 flèches ainsi que 13 étoiles et rayons. Le Congrès décida qu'une nouvelle capitale et un nouveau siège de gouvernement devaient être construits, et le Président Washington engagea L'Enfant pour dessiner les plans.

Pierre L'Enfant savait bien entendu que la cité idéale du monde classique reposait sur un plan en forme de grille et décida qu'il devait en être de même pour les jeunes États-Unis, dont le système politique s'inspirait des civilisations grecque et romaine. Il disposa donc les rues selon ce plan, formant des pâtés de maisons rectangulaires. Les centres d'attraction devaient être la résidence du Président et le Capitole, les places voisines offrant des espaces pour des monuments et des plans d'eaux. Thomas Jefferson, alors secrétaire d'État, se procura les plans de plusieurs villes européennes pour s'en inspirer, notamment ceux dessinés par Christopher Wren en Angleterre et par Le Nôtre en France.

Malheureusement, devant l'importance de la commande, L'Enfant se laissa gagner par la mégalomanie. Il refusa de suivre les instructions données par les autorités de la ville, même celles du Président. Ses plans furent considérés irréalisables, et on lui reprocha d'avoir fait démolir la demeure d'un notable pour tracer une avenue. Ce dut être difficile pour George Washington, qui habitait Philadelphie durant sa présidence, de tenir la bride de son ami L'Enfant. N'oublions pas que le Président avait été son compagnon d'armes. Pierre L'Enfant menaça de démissionner et le Président n'eut finalement d'autre choix que de le congédier. Andrew Ellicott le remplaça, et c'est principalement son œuvre que nous pouvons voir aujourd'hui.

En 1812, l'académie militaire des États-Unis offrit à L'Enfant la chaire d'ingénierie, mais pour une raison inconnue il la refusa. Deux ans plus tard, il fut chargé du chantier de Fort Washington, sur les rives du Potomac, mais il fut rapidement remplacé.

Peu après, il réclama plus de 95 000 dollars pour les travaux entrepris à Washington avant son renvoi. Le Congrès ne lui en versa que 4 000. Il vécut dans le Maryland chez des amis, apparemment sans le sou. Ce sont sans doute les 91 000 dollars restants que son fantôme demande quand il hante le Capitole. En 1909, ses restes furent inhumés au cimetière national d'Arlington. Peut-être repose-t-il désormais en paix.

On avance que le plan de Washington s'inspire des principes de la maçonnerie sous le prétexte que Pierre L'Enfant aurait été franc-maçon. Cependant, rien ne le prouve et aucune loge ne déclare l'avoir eu comme membre. D'un autre côté, deux de ses mentors, le marquis de Lafayette et George Washington, l'étaient, et, ayant grandi dans la

France des Lumières, il était sans doute un familier des principes francs-maçons.

Les plans de Pierre L'Enfant sont exposés à grande échelle sur le sol de la Freedom Plaza. Jusqu'en 1990, avec l'achèvement de la cathédrale nationale de Washington, la vision de Pierre L'Enfant persista, puisque c'était lui qui avait le premier proposé « une grande église d'envergure nationale ».

VOIR ÉGALEMENT : Freedom Plaza, Washington.

MAIN DES MYSTÈRES

Dans *Le Symbole perdu*, la Main des mystères est physiquement recréée quand Mal'akh tranche la main droite de Peter Solomon avant de la déposer dans la rotonde du Capitole. Lorsque Robert Langdon examine la main de son ami, il remarque que les doigts de Peter ont été tatoués : au bout du pouce figure une couronne, à l'index une étoile, au majeur un soleil, à l'annulaire une lanterne, et une clef sur l'auriculaire.

La Main des mystères figure dans *Les Enseignements secrets de tous les âges* de Manly P. Hall, publié en 1928. On pourrait dire que *Le Symbole perdu* commence et finit avec Hall : le roman s'ouvre sur une citation de ce livre et une autre illustre le dernier chapitre. En tout cas, une grande partie du roman est en accord avec les écrits de Hall, philosophe et mystique qui rédigea sa grande œuvre à seulement vingt-sept ans. Cet ouvrage est prodigieux. Il l'aurait été même si son auteur avait eu l'expérience de toute une vie en matière d'ésotérisme, mais pour un jeune homme c'est tout simplement remarquable. Rien d'étonnant à ce que Hall ait été plus tard initié au trente-troisième degré de la franc-maçonnerie.

Pour son livre, Hall fit reproduire un dessin de la Main des mystères par Augustus Knapp, d'après une aquarelle en couleurs du XVIIIe siècle d'origine inconnue. Sur cette image, les cinq symboles, au lieu d'être tatoués sur les doigts, flottent au-dessus. En outre, au creux de la paume, un poisson nage dans un fond vert entouré de flammes.

Hall illustra l'aquarelle avec une citation : « Le sage prête par cette main serment de ne point enseigner l'Art sans paraboles. »

Tout comme Robert Langdon mentionne que la Main des mystères est une invitation d'un maître à un initié, Hall corrobore cette idée :

> « Le dessin original dont est tirée cette gravure est désigné comme la main du philosophe, tendue à ceux qui entrent dans les mystères. Quand le disciple du Grand Art la voit pour la première fois, elle est fermée et il doit découvrir comment l'ouvrir afin que lui soient révélés les mystères qu'elle contient. »

N'oublions pas que dans *Le Symbole perdu*, la main de Peter Solomon doit être ouverte de force pour révéler le code SBB XIII inscrit dans sa paume. Ce code mène Langdon à la salle sous le Capitole où se trouve la pyramide de granit.

La Main des mystères est une allégorie qui désigne les travaux des grands alchimistes.

L'image du poisson nous est ainsi décrite : « Le poisson est le mercure et la mer enceinte de flammes dans laquelle il nage est le soufre. » Concernant les symboles associés à chacun des doigts, voici l'explication de Hall :

> « Chacun des doigts porte l'emblème d'un agent divin au travers des opérations combinées par lesquelles est accompli le grand œuvre... Philosophiquement, la clef représente les mystères eux-mêmes sans l'aide desquels l'homme ne peut ouvrir les nombreuses chambres de son être. La lanterne est la connaissance humaine, car elle est une étincelle du feu universel capturée dans un récipient fait de main d'homme ; c'est la lumière de ceux qui demeurent dans l'univers inférieur et avec l'aide de laquelle nous cherchons à suivre les pas de la vérité. Le soleil, que l'on peut appeler "lumière du monde" représente la luminescence de la création grâce à laquelle l'homme peut apprendre le mystère de toutes

les créatures. L'étoile est la lumière universelle qui révèle des vérités célestes et cosmiques. La couronne est la lumière absolue – inconnue et non révélée – dont la puissance resplendit à travers toutes les lumières inférieures qui ne sont que des étincelles de son éternelle effulgence. »

Les mains humaines elles-mêmes sont considérées comme des symboles importants depuis des milliers d'années, car la magie, l'alchimie et même la science noétique exigent l'application de la volonté humaine sur le monde matériel. Comme le dit Hall, l'esprit humain est « le produit de la volonté de savoir » alors que la main est « le produit de la volonté de saisir ».

Il se trouve donc que la main est l'ultime outil de l'esprit, car si celui-ci peut concevoir le monde matériel, seule la main peut le manipuler. La main est un puissant symbole à travers toutes les époques pour cette raison même.

Dans l'Égypte ancienne, nous trouvons des inscriptions montrant des mains placées au bout de rayons émanant du soleil, indiquant l'interaction entre Dieu (le disque solaire) et l'humanité. Souvent, ces mains de soleil tiennent l'*ankh*, la croix ansée qui symbolise la vie ou le souffle.

Dans *Le Symbole perdu*, Mal'akh révèle qu'il a coupé la main droite de son père pour que Peter Solomon soit contraint d'accomplir le sacrifice de son fils de la main gauche. La main gauche est habituellement réservée à la magie noire. Cette idée pourrait dériver d'une croyance selon laquelle les cultures primitives utilisaient la main droite pour les gestes positifs et constructifs, et la gauche pour les activités impropres ou désagréables.

Manly P. Hall révèle un autre aspect intrigant qui y est lié : la nature même de l'écriture sacrée – non pas la main avec laquelle elle a été créée, mais son sens d'écriture :

« Certains philosophes déclarèrent qu'il y avait deux méthodes d'écriture : l'une de gauche à droite, qui était considérée comme exotérique, et l'autre, de droite à gauche, considérée comme ésotérique. L'écriture exotérique était celle qui partait du cœur, alors que l'écriture ésotérique – tel l'hébreu – était écrite en direction du cœur. »

Dernier point concernant la Main des mystères : dans *Le Symbole perdu*, la main de Peter Solomon a été disposée de telle façon que l'index et le pouce désignent le Ciel – soit la scène où George Washington trône dans les cieux dans *L'Apothéose de George Washington* peinte sur la voûte du dôme de la rotonde. En outre, la main de Peter Solomon est dans la même position que celle de George Washington dans la statue d'Horatio Greenough, qui le représente sous les traits de Zeus. La main de Washington désigne le Ciel dans une posture que Lynn Pickett et Clive Prince, dans *La Révélation des Templiers*, appellent « geste de Jean », ainsi nommé parce qu'on la retrouve fréquemment dans les œuvres de Léonard de Vinci représentant Jean le Baptiste. Les lecteurs du *Da Vinci Code* sont ici en terrain familier.

Manly P. Hall remarque que les symboles dessinés sur le pouce et l'index de la Main des mystères (la couronne et l'étoile) sont associés à la lumière : l'index représente la lumière universelle, le pouce la lumière absolue. Il semble approprié que la main de Peter Solomon désigne *L'Apothéose de Washington* avec les deux doigts qui correspondent aux deux symboles de la lumière, puisque le thème central du *Symbole perdu* est « l'illumination » et la découverte du dieu intérieur.

VOIR ÉGALEMENT : *L'Apothéose de Washington*, Capitole.

MAISON DU TEMPLE

La Maison du Temple est le siège du Rite écossais de la franc-maçonnerie dans la juridiction sud des États-Unis. Elle est située à Washington, au 1733, 16ᵉ Rue NW, entre les Rues R et S, à 13 rues de la Maison-Blanche. C'est le siège du Suprême Conseil du Rite écossais depuis 1915. Ce bâtiment est connu des maçons du Rite écossais sous le nom de Heredom.

Cet étonnant édifice joue un rôle central dans les pages du *Symbole perdu*, puisque c'est l'endroit où s'affrontent Mal'akh et son père, Peter Solomon. Cette confrontation se déroule dans la salle du Temple, au cœur du bâtiment, sous le vaste oculus du plafond. C'est sur « l'autel » central de cette salle que Mal'akh tente d'obliger son père à le sacrifier à l'aide de l'Akedah qu'il a acheté.

John Russell Pope, l'architecte de la Maison du Temple, n'était pas franc-maçon. Il avait donc un assistant, Elliot Woods, chargé de la symbolique maçonnique. La construction s'inspire de l'une des antiques Sept Merveilles, le mausolée d'Halicarnasse. Le bâtiment a été salué comme une merveille architecturale, et Pope reçut de nombreux éloges. D'ailleurs, en 1917, il reçut la Médaille d'or de la Ligue d'architecture de New York pour ce travail. La Maison du Temple était sa première commande importante à Washington : il n'avait alors que trente-six ans. Il dessina et supervisa la construction de certains des plus célèbres bâtiments de la ville, comme le Mémorial de Jefferson, les Archives nationales et la Galerie nationale d'Art.

Selon l'auteur David Ovason, la première pierre fut posée le 18 octobre 1911 en présence de centaines de maçons. Cette cérémonie fut présidée par J. Claude Keiper, grand maître du District de Columbia, qui utilisa le même maillet cérémoniel que George Washington lors de la pose la première pierre du Capitole.

À l'intérieur du Temple se trouve une alcôve qui abrite les restes d'Albert Pike, général confédéré et auteur du livre de référence de la franc-maçonnerie de Rite écossais, *Morales et Dogmes du Rite écossais ancien et accepté de la franc-maçonnerie,* écrit en 1871. Dans la bibliothèque du Temple, se trouve l'une des plus vastes collections de livres sur la franc-maçonnerie au monde : plus d'un quart de million d'ouvrages. On y trouve également une grande salle de banquet, plusieurs bureaux pour les dignitaires maçons de haut rang et un espace d'exposition. Des visites y sont organisées et des expositions d'objets maçonniques sont souvent présentées. Au-dessus de la porte principale du Temple est gravée la maxime : « La franc-maçonnerie construit ses temples dans les cœurs des hommes et parmi les Nations. »

De part et d'autre se dressent deux énormes sphinx. L'un, les yeux ouverts, incarne le Pouvoir ; l'autre, les yeux fermés, personnifie la Sagesse.

L'extérieur du bâtiment est ceint d'un péristyle de 33 colonnes, chacune de 33 pieds (10 mètres) de hauteur, représentant les 33 degrés du Rite écossais. La pyramide qui se dresse au sommet du Temple est dotée de 13 degrés, apparemment à l'instar de la pyramide inachevée du Grand Sceau des États-Unis.

L'intrigue échevelée du *Symbole perdu* est portée à son paroxysme dans la Maison du Temple, par une série d'événements dramatiques qui se déroulent dans la salle principale, où s'accomplissent les cérémonies et les rituels du Rite écossais ancien et accepté.

Le Temple possède en son centre un énorme autel en marbre noir de Belgique. Les visiteurs attentifs peuvent remarquer que les murs sont ornés d'une frise, elle aussi en marbre noir, qui porte ces mots en lettres de bronze :

187

« DES EXTRÊMES TÉNÈBRES DE L'IGNORANCE PAR LES OMBRES DE NOTRE VIE TERRESTRE SERPENTE LE MAGNIFIQUE CHEMIN DE L'INITIATION JUSQU'À LA LUMIÈRE DIVINE DE L'AUTEL SACRÉ. »

L'autel lui-même est gravé de caractères hébraïques qui offrent aux initiés le message suivant :

« DIEU DIT : QUE LA LUMIÈRE SOIT ; ET LA LUMIÈRE FUT. »

Dan Brown mentionne en quelques occasions dans son roman que la seule lumière qui éclaire l'autel à certains moments est le « pâle rayon de lumière » qui filtre par le large oculus au sommet du toit en forme de pyramide. Les visiteurs sont informés que l'oculus, à 30 mètres au-dessus de l'autel symbolise le fait que la lumière, métaphore de la connaissance, est un symbole clef du Rite écossais. Le mot « oculus », terme d'architecture qui désigne l'ouverture d'un dôme, signifie en latin « œil ». Dans *Le Symbole perdu*, oculus possède les deux sens. La métaphore du Temple est liée à la maxime hermétique « Ainsi en haut, ainsi en bas ».

Mal'akh, dans sa quête pour la connaissance, note que la fontanelle est l'oculus du cerveau. Il remarque que, bien que ce portail se ferme, c'est une connexion perdue entre les mondes intérieur et extérieur. Langdon croit lui aussi que la parole perdue est devant ses yeux quand il lève la tête vers l'oculus en direction du ciel.

VOIR ÉGALEMENT : Franc-maçonnerie de Rite écossais, Heredom.

MCTAGGART, LYNNE

Lynne McTaggart est mentionnée dans *Le Symbole perdu* parce que son livre *L'Expérience d'intention* a poussé Katherine Solomon à poursuivre ses recherches dans le domaine des sciences noétiques.

Journaliste et écrivain, Lynne McTaggart a publié à ce jour cinq livres dont deux sont des best-sellers, *Le Champ* et *L'Expérience d'intention*. Elle dirige également un magazine américain de santé très apprécié, lancé en 1989 avec l'objectif de rester totalement indépendant des laboratoires pharmaceutiques et des organismes gouvernementaux. Cependant, c'est probablement pour son travail intitulé *Expérience d'intention* qu'elle est le plus connue. Le terme recouvre non seulement le livre du même titre, mais aussi une communauté en ligne très active de volontaires réunis par McTaggart et son mari, Bryan Hubbard.

Dans *Le Symbole perdu*, on apprend que les recherches de Katherine Solomon démontrent comment la concentration mentale peut affecter n'importe quel organisme vivant, notamment la croissance des plantes. Ce chapitre semble décrire précisément les travaux de Lynne McTaggart et de son équipe.

La série d'expériences en question, connue sous le nom d'Expériences de germination, eut lieu en juin et juillet 1988 à Hambourg. Lynne McTaggart demanda à l'assistance de choisir un flacon d'eau parmi quatre, l'objectif étant de verser son contenu sur des graines à germer. L'assistance eut ensuite pour instruction d'envoyer mentalement l'intention suivante à l'eau : « Mon intention est que toutes les graines ayant reçu l'eau du flacon que nous avons choisi poussent d'au moins sept centimètres en quatre jours. »

Au cinquième jour, les graines qui avaient reçu l'eau choisie avaient poussé davantage que les autres échantillons ayant reçu une eau ordinaire. En outre, dans l'échantillon test, 100 % des graines avaient germé, alors qu'en général, 90 % seulement y parviennent. L'expérience fut un succès.

Depuis 2008, des expériences à plus grande échelle ont eu lieu, mobilisant des groupes plus importants. La plus vaste fut l'Expérience d'intention de paix, avec un groupe de nombreux participants reliés par Internet tentant de se concentrer pour amener une paix durable dans la région nord du Sri Lanka. Pour certains analystes, l'expérience fonctionna, car il y eut une nette diminution des violences dans les semaines qui suivirent l'exercice.

La description du travail de Lynne McTaggart dans *Le Symbole perdu* paraît fidèle, et l'auteur a ainsi commenté son apparition surprise dans le roman : « Utiliser le plus grand best-seller du monde pour présenter le pouvoir de la pensée à un vaste public nous aidera à promouvoir nos études sur la conscience. » Elle souligna certains des principes fondamentaux de son travail :

« L'Intention progresse grâce à la pratique de techniques connues. J'ai interviewé des dizaines de "maîtres d'intention" – maîtres Qigong, moines bouddhistes, guérisseurs – qui ont tous débattu de techniques particulières. Manifester une intention exige une concentration de la pensée comme un faisceau laser, une visualisation sensorielle totale et une foi profonde.
Les particules sont ainsi affectées par l'observateur. C'est un principe fondamental de la physique quantique : observer une particule subatomique la transforme. »

C'est probablement l'aspect le plus fascinant du travail de Lynne McTaggart : notre interaction avec le domaine matériel, notre conscience elle-même, affecte le monde physique qui nous entoure.

Cela soulève plus de questions que cela ne fournit de solution. Par exemple, cela prouve-t-il que nous créons tous notre propre univers ? Si chacun de nous influence le comportement des particules quantiques et les fait proprement exister, pouvons-nous être sûrs de partager le même univers que les autres observateurs ? Peut-être créons-nous tous notre univers personnel unique. Comme le sous-entend Katherine Solomon dans *Le Symbole perdu*, peut-être sommes-nous tous les maîtres de notre univers.

MÉLANCOLIE I

Dans leur quête, les protagonistes du *Symbole perdu* reçoivent des indices tels qu'une date, 1514 et ce qui est décrit comme un monogramme. Il s'agit d'un symbole utilisé en guise de signature, et les initiales A et D sont identifiées comme étant celles de l'artiste Albert Dürer. Ceci les conduit à la célèbre gravure de Dürer datant de 1514, *Mélancolie I.*

Bien qu'elle se trouve à la National Gallery de Washington, Langdon ne va pas la voir. Grâce à une reproduction sur un ordinateur, il découvre que l'élément essentiel pour déchiffrer le code est révélé dans un carré magique contenant 16 nombres. Pour vous permettre d'admirer cette œuvre dans toute sa complexité, elle est reproduite dans ce livre.

Nombre de livres et de thèses se sont attachés à expliquer la gravure et les concepts de Dürer. *Mélancolie I*, l'une de ses œuvres les plus énigmatiques, est inhabituelle en ce qu'elle porte son titre dans le dessin : l'orthographe archaïque *Melencolia* se lit dans une bannière brandie par une créature hybride entre le rongeur, la chauve-souris et le serpent.

Dürer y a fait figurer des éléments de la science alchimique. Par exemple, l'arc-en-ciel de l'arrière-plan représente les couleurs censées apparaître durant la préparation de la pierre philosophale, instrument nécessaire pour transmuer le métal vil en or. Elle était également censée accorder l'immortalité. D'autres éléments alchimiques apparaissent, comme un creuset, une sphère, des outils de menuiserie, une balance et un compas. L'image est à bien des égards un recueil de symboles, et la silhouette vague d'un crâne sur le polyèdre en renforce encore le mystère.

Puisque le chiffre romain I suit le titre de cette image, il semble que l'auteur ait prévu une série. Il est possible que cette série se serait composée de quatre œuvres, puisque la mélancolie est l'un des quatre tempéraments – les trois autres étant colérique, flegmatique et sanguin –, eux-mêmes liés aux quatre humeurs – bile noire, bile jaune, phlegme et sang – ainsi qu'aux quatre éléments et aux planètes. Les médecins, scientifiques et philosophes de l'époque étaient familiers de cette notion. Le terme « mélancolie » signifie en fait « bile noire », et on pensait que l'individu souffrant d'un déséquilibre dans son organisme était de disposition mélancolique. La mélancolie était liée à l'élément terre et à la planète Saturne.

Il a également été avancé que cette *Mélancolie* était la première d'une série de trois, chacune représentant l'un des trois éléments de l'âme tels que décrits par Aristote : l'imagination, la raison et l'esprit.

Voici comment Frances Yates analyse ce dessin dans *La Philosophie occulte à l'époque élisabéthaine* :

« La Mélancolie de Dürer a le teint sombre et mat, le "visage noir" typique de cet état, et elle soutient sa tête pensive avec sa main dans une pose caractéristique. Elle tient un compas pour mesurer et calculer. À côté d'elle, se trouve la bourse pour compter l'argent. Autour d'elle, on reconnaît des outils d'artisan. Elle est d'évidence mélancolique, caractérisée par la pose, le type physique et les occupations de la vieille et malfaisante mélancolie, mais elle semble aussi exprimer un type plus intellectuel et plus élevé d'entreprise. Elle n'est pas vraiment en train de ne rien faire, elle est juste assise et pensive. Que signifient ces formes géométriques et pourquoi une échelle s'élève-t-elle derrière le polyèdre ? »

Cette image serait-elle la métaphore d'un génie gâché ?

Il semble qu'à toute époque le grand talent soit souvent lié à une instabilité mentale ou à des tourments. Depuis le génie fragile de Mozart et le style de vie extravagant de lord Byron jusqu'aux excès destructeurs de nombre de rock-stars, l'idée de génie tourmenté nous est familière. C'est ce qu'avancent Klibansky, Panofsky et Saxl dans *Saturne et la Mélancolie* :

> « L'humeur mélancolique, quand elle prend feu et flamboie, engendre la frénésie (*furore*) qui nous conduit à la sagesse et à la révélation, notamment quand elle se combine à une influence céleste, par-dessus tout celle de Saturne. C'est pourquoi Aristote déclare dans les *Problemata* qu'à travers la mélancolie certains hommes sont devenus des êtres divins, prévoyant l'avenir comme les sibylles, alors que d'autres sont devenus des poètes. Il ajoute que tous les hommes qui se sont distingués dans n'importe quelle branche du savoir ont généralement été des mélancoliques. »

Il se pourrait que Dürer nous laisse deviner l'intérieur de son esprit. C'est en tout cas la thèse de Mary Heaton dès 1870 dans son livre *Histoire de la vie d'Albert Dürer de Nuremberg* :

> « Peut-être que les ailes de son âme avaient vainement battu contre le mur infranchissable qui entoure notre horizon mental, avant qu'il dessine ces ailes qui jaillissent de ses puissantes épaules et qui semblent bien pitoyables étant donné la posture recroquevillée qu'elle a adopté. »

Que devons-nous penser du fait que Dan Brown ait choisi Dürer et sa gravure pour *Le Symbole perdu* ? Robert

Langdon est certes très érudit et il fait montre de grandes ressources dans les situations épineuses que lui concocte l'auteur. Malgré ses qualités, Langdon reste un personnage qui a du mal à croire. Il dit lui-même : « La foi ne m'est jamais venue facilement. » C'est l'homme qui a découvert le Saint Graal et sauvé Rome d'une destruction certaine.

Nous avons là la représentation d'un être qui attend qu'une étincelle d'inspiration éclaire un jour lugubre, un écho du génie torturé qui réside dans un monde intérieur mélancolique mais qui possède une incroyable créativité et est capable de flamboiement quand c'est nécessaire. Se pourrait-il que Brown lui-même non seulement s'identifie à son personnage principal, Robert Langdon, mais aussi à ces génies mélancoliques et torturés dont il parle dans ses romans ?

VOIR ÉGALEMENT : Alchimie, Albert Dürer, Pierre philosophale.

MÉMORIAL MAÇONNIQUE DE WASHINGTON

Quand Robert Langdon et Katherine Solomon cherchent à échapper à la CIA, ils font croire qu'ils visitent le Mémorial maçonnique de Washington. Cet important édifice maçonnique se situe à Alexandria, au sud de Washington DC, ce qui leur fournit un prétexte pour prendre le métro, même s'ils changent finalement de direction.

Comme de nombreux bâtiments importants de la ville, il a été inspiré par l'architecture du monde classique, tel le phare d'Alexandrie, autrefois l'une des Sept Merveilles du monde. Au sommet de la tour, se dresse une pyramide et une représentation de la flamme rappelant sa fonction de phare. Bien sûr, la cité qui abrita jadis le célèbre phare et le lieu qui accueille le Mémorial ont le même nom : Alexandria.

George Washington était le grand maître de la loge Alexandria quand il fut investi premier Président des États-Unis en 1789. Après sa mort, la loge fut rebaptisée Alexandria-Washington loge n° 22. Contrairement à la plupart des bâtiments maçonniques, son mémorial fut financé par des dons des 52 grandes loges des États-Unis. En 1910, Joseph Eggleston, grand maître de Virginie, invita tous les autres grands maîtres du pays à une réunion destinée à concevoir et construire un mémorial à George Washington. Des éléments de la tenue d'apparat de Washington et d'importants documents se trouvaient à la Loge Alexandria-Washington, mais on redoutait qu'ils n'y soient pas à l'abri, ayant déjà subi un incendie.

L'emplacement d'Alexandria choisie pour le mémorial avait déjà été proposé par Thomas Jefferson comme site pour le Capitole. Il était également proche de lieux familiers pour George Washington, comme l'église du Christ où il assistait souvent à l'office.

L'architecte fut Harvey W. Corbett, qui, outre les influences égyptiennes du bâtiment, choisit de bâtir une entrée inspirée par le Parthénon d'Athènes et le décora d'un mélange de styles antiques. La pose de la première pierre du mémorial eut lieu le 1er novembre 1923 lors d'une cérémonie maçonnique à laquelle assista le Président Calvin Coolidge et l'ancien Président William Taft, lui-même franc-maçon. En 1932, deux siècles après la naissance de Washington, le mémorial fut inauguré, de nouveau en présence du Président, Herbert Hoover. Les travaux intérieurs continuèrent jusqu'à l'achèvement final en 1970, mais ce n'est que récemment, en 1999, que fut posé dans la pelouse le symbole maçonnique bien connu du compas et de l'équerre.

Au premier étage, se trouvent les salles du temple utilisées par l'Ancient Arabic Order of the Nobles of the Mystic Shrine (Ordre arabe ancien des nobles du Sanctuaire mystique) également nommés Shriners, dont il est question dans *Le Symbole perdu*. Dans le musée consacré à George Washington au quatrième étage, sont exposés différents éléments de sa tenue maçonnique d'apparat. On y voit notamment le tablier qu'il porta lors de la pose de la première pierre du Capitole.

Dans la salle du chapitre de la Royale Arche, se trouvent des fresques de style égyptien et hébreu et une représentation des ruines du Temple de Salomon, thème clef de la maçonnerie. Il y a également une réplique de l'Arche d'alliance qui se trouvait, selon l'Ancien Testament, dans le Temple de Salomon. Les fresques sont du peintre Allyn Cox, qui fut également chargé d'achever la frise de la rotonde du Capitole après la mort de Constantino Brumidi.

VOIR ÉGALEMENT : Constantino Brumidi, Franc-maçonnerie, Shriners, George Washington.

MYSTÈRES ANCIENS

Dans *Le Symbole perdu*, Robert Langdon nous raconte que les Mystères anciens sont le recueil de la sagesse de toutes les époques, une collection des grands mystères connus de l'homme, réunis en un seul lieu gardé secret. Nous apprenons que la Main des mystères est, pour l'initié, une invitation à accéder aux Mystères anciens.

Dans les faits, les Mystères anciens sont la clef du roman tout entier. Ils sont l'objet de la quête de Robert Langdon. Les indices sur la pyramide de granit, la quête de la Parole perdue... tout concourt à la découverte des Mystères anciens, supposé cachés quelque part à Washington.

Dan Brown laisse penser dans son livre que ces Mystères anciens sont une sorte de synthèse des enseignements de toutes les écoles de mystères. En fait, rien ne prouve qu'une telle somme existe, mais nous disposons de fragments disparates issus de différents courants des mystères. S'ils sont tous d'une valeur inestimable pour l'humanité, il ne s'agit pas d'une œuvre complète dont on pourrait dire qu'elle recèle toute la vérité.

Certaines des premières écoles de mystères furent fondées dans la Grèce antique. Beaucoup étaient très connues, leur existence n'était donc pas secrète. Cependant, la véritable connaissance détenue par ces écoles était farouchement protégée, et leurs initiés devaient garder au prix de leur vie le secret de leurs rites et de leurs fraternités. Tout comme la franc-maçonnerie aujourd'hui, les initiés des écoles de mystères prêtaient un serment sacré : ils juraient que la mort scellerait leurs lèvres avant de révéler la moindre connaissance secrète.

Des écoles de mystères de la Grèce antique, jaillirent des disciplines de la philosophie et du mysticisme dont l'exploration conduisit naturellement aux mystères. On représentait des drames sacrés relatifs à ces mystères, les plus importants ayant un rapport avec Isis, déesse dont le culte vit le jour dans l'Égypte ancienne ; Cybèle, le grand oracle de l'ancien monde asiatique ; ainsi que Déméter et Perséphone, les déesses grecques qui donnèrent naissance aux mystères d'Éleusis, probablement l'école la plus importante de toute la Grèce antique.

On estime que les mystères d'Éleusis virent le jour vers 1600 avant J.-C. et traitaient du thème récurrent de l'immortalité de l'âme humaine, connue sous le nom de *psyché*, dont la véritable demeure est le monde des esprits, libérée de la prison – du tombeau – qu'est l'enveloppe humaine. Pour les tenants de cette école, la naissance de l'enveloppe humaine correspond à la mort de l'âme, laquelle ne peut renaître que par la mort physique.

Plus tard, à Rome, des écoles de mystères prônèrent notamment le culte de Mithra, qui importait une grande partie de sa sagesse des Perses, et qui transmit donc cette connaissance ancienne à travers les générations. Les écoles de mystères elles-mêmes ont peut-être évolué et changé de forme, mais les secrets qu'elles transmirent étaient les mêmes.

Les écoles de l'Occident furent contraintes au secret entre les Ve et VIe siècles, quand le paganisme fut banni de l'Empire romain. On raconte que le coup de grâce fut porté aux Mystères anciens avec la fermeture de l'académie de Platon, à Athènes en 529, par l'empereur byzantin Justinien Ier. Cependant, les Mystères anciens ne s'éteignirent pas tout à fait.

Les gnostiques entretinrent bon nombre des mystères qui réapparurent au cœur d'une nouvelle religion : le christianisme. Au Moyen Âge, les chevaliers du Temple en transmirent une partie, tout comme les hermétiques et les alchimistes, tandis que, pendant la Renaissance, la fonda-tion des Rosicruciens – et d'autres ordres secrets – mena à une résurgence du savoir des anciens.

Le Symbole perdu nous confirme que la franc-maçonnerie possède les clefs des Mystères anciens, et qu'elle en est la gardienne : on y reçoit des éléments du savoir ancestral à travers les différents degrés. Les secrets de la franc-maçon-nerie sont-ils compris à notre époque ? Cela reste encore à débattre. Mais il ne fait aucun doute qu'il s'agit d'une école de mystères moderne dont la fonction est de perpétuer les Mystères anciens.

Dans *Les Enseignements secrets de tous les âges,* Manly P. Hall cite Robert Macoy, maçon du trente-troisième degré, qui explique combien les Mystères anciens ont contribué à façonner la société humaine :

« Il apparaît que toute la perfection de la civilisation et tout le progrès accompli en philosophie, en science et en art chez les Anciens sont dus à ces institutions qui, sous le couvert du mystère, ont cherché à illustrer les vérités sublimes de la religion, de la moralité et de la vertu, et à en imprégner le cœur de leurs disciples. Leur premier objectif était d'enseigner la doctrine d'un dieu unique, la résurrection de l'homme à une vie éter-nelle, la dignité de l'âme humaine, et de mener le peuple à voir l'ombre de la divinité, dans la beauté, la magnificence et la splendeur de l'univers. »

Autrement dit, les grandes religions pourraient être éga-lement considérées comme les gardiennes des Mystères anciens. Le christianisme, l'islam, le judaïsme, le zoroas-trisme, le bouddhisme et bien d'autres contiennent tous un germe des Mystères anciens et transmettent des traditions sacrées concernant la résurrection de l'âme humaine.

La conclusion du *Symbole perdu* y fait en tout cas allusion. Si l'on considère la Bible comme un recueil de Mystères anciens, on est amené à penser que le savoir ancien aurait pu être encodé au sein des chapitres des Écritures.

Le Symbole perdu commence par une citation de Manly P. Hall et ses ouvrages ont sans aucun doute influencé Dan Brown. Dans *Les Enseignements secrets de tous les âges*, il synthétise la sagesse cachée des anciens, avant d'affirmer qu'elle réapparaîtra un jour, aussi irrésistible qu'une source dans une montagne.

VOIR ÉGALEMENT : Manly P. Hall, Hermétisme.

NEWTON, SIR ISAAC

Isaac Newton naquit dans le Lincolnshire le 25 décembre 1642 et fut fait chevalier par la reine Anne en 1705. Il excella dans des domaines divers et variés, dont un seul aurait suffi à satisfaire un individu ordinaire ; mais Newton, comme nous le verrons, était loin de l'être. Il étudia la physique, les mathématiques et l'astronomie, la théologie, certains aspects de la philosophie et le domaine plus obscur de l'alchimie.

Les lecteurs du *Da Vinci Code* sont déjà familiers de ce personnage dont le tombeau à l'abbaye de Westminster offrait un indice pour la quête du Saint Graal. Dans *Le Symbole perdu*, nous rencontrons d'autres références à Isaac Newton dans le cadre de l'échelle des températures et de ses travaux en tant qu'alchimiste.

En 1661, Newton fut admis au Trinity College de Cambridge. Il préféra nettement s'intéresser aux idées des philosophes et astronomes modernes qu'aux enseignements d'Aristote. Diplômé en 1665, année de la grande peste, il revint comme professeur à l'université deux ans après.

Selon la légende populaire, il découvrit la nature de la gravité en recevant une pomme sur la tête alors qu'il était assis sous un arbre. Selon ses propres dires, il s'était contenté d'observer la chute du fruit. Quelles qu'aient été les circonstances, il réfléchit au fait que les objets tombent vers la terre comme nous le constatons quotidiennement, et c'est après plusieurs années qu'il formula sa loi de la gravitation universelle. Au siècle dernier, elle fut supplantée par la théorie einsteinienne de la relativité générale, mais elle est encore acceptée comme une approximation.

La loi de Newton fut consignée dans son *Philosophiæ Naturalis Principia Mathematica*, publié en 1687, et déclencha une grande querelle avec Robert Hooke, un autre brillant savant qui prétendit que ses propres recherches avaient été plagiées. Cependant, Newton rendit à des précurseurs comme Copernic, Brahe, Galilée et Kepler ce qui leur était dû en précisant : « Si j'ai pu voir plus loin, c'est parce que j'étais sur les épaules de géants. »

Depuis Aristote, il avait toujours été enseigné que la lumière était blanche. Newton fut le premier à oser contredire cette idée en soulignant le fait que la lumière solaire passant par un prisme se brise en un spectre de couleurs. Comme il pensait – à tort – à la suite de sa découverte que les télescopes dotés de lentilles réfractrices pouvaient poser des problèmes, il entreprit d'inventer le télescope à réflexion.

Vers la fin du XVIIe siècle, Newton s'intéressa à la mesure de la température et conçut un thermomètre utilisant l'échelle dite de Newton, qui compte 33 degrés jusqu'au point d'ébullition. Formuler une théorie en décrivant la chaleur en termes de degrés allant du froid hivernal aux charbons ardents ne pouvant l'amener bien loin en termes de définition d'échelle, il décida de chauffer de l'huile de lin et de comparer son volume entre son état à la température de la fonte de la neige et celui de l'eau au point d'ébullition. Le scientifique suédois Anders Celsius avait probablement entendu parler de l'invention de Newton, et il conçut sa propre échelle des températures, exactement trois fois plus étendue. Les deux prennent le zéro comme point de congélation de l'eau, mais les 33 degrés du point d'ébullition de Newton correspondent aux 100 degrés de Celsius.

L'échelle de Celsius (dite aussi centigrade) est en vigueur aujourd'hui, celle de Newton est donc moins familière aux lecteurs. L'immersion d'une pyramide dans l'eau bouillante pour révéler un message luminescent fait progresser l'intrigue et fournit un autre lien avec le symbolisme associé au nombre 33.

Newton s'intéressa beaucoup à la religion, bien qu'étant un chrétien non pratiquant. Son père était mort avant sa naissance et sa mère se remaria avec un membre du clergé avec qui il ne fut pas en bons termes. Il avoua avoir menacé de mettre le feu à leur maison dans sa jeunesse, et il est possible que sa foi ait été influencée par ses relations avec son beau-père. On dit que Newton accepta l'hérésie arienne. Selon l'arianisme, Jésus n'était pas de la même substance que Dieu. Étudiant les textes bibliques, Newton rédigea des traités religieux et déclara : « Je crois fondamentalement à la Bible comme la parole de Dieu, écrite par ceux qui furent inspirés. »

Des textes non publiés prophétisent la fin du monde pour 2060, ou l'apparition d'une ère de paix divine.

C'est six ans après la mort de Newton, que furent publiées les *Observations sur les prophéties de Daniel et l'Apocalypse selon saint Jean*, son grand ouvrage sur la Bible.

Quand la devise « *Jeova Sanctus Unus* » (« Un seul vrai Dieu ») est révélée dans *Le Symbole perdu*, Robert Langdon explique qu'elle rappelle un pseudonyme de Newton. En latin (où le *i* est la graphie du *j* et où le *u* et le *v* sont interchangeables), Isaacus Neutonuus est un anagramme de « *Jeova Sanctus Unus* ». Cette signature était utilisée par Newton dans sa correspondance avec ses amis alchimistes, afin de préserver le secret de son identité.

Dan Brown fait également allusion à une légende concernant le chien d'Isaac Newton, Diamond, qui aurait renversé une bougie et mis le feu à des documents importants. Dans le roman, le chien de Peter Solomon, Hercule, mange un précieux exemplaire de la Bible en parchemin enluminé du XVIIe siècle qui appartient à Langdon.

S'il n'y a aucune preuve directe qu'Isaac Newton fut francmaçon, selon certains, il fut le maître du mystérieux prieuré de Sion de 1691 à 1727. Il était membre de la Spalding Gentlemen's Society, un club érudit qui compta parmi ses membres lord Tennyson, sir Hans Sloane, sir Joseph Banks et Alexander Pope. Il s'intéressa à des sujets comme l'importance de Noé, que les maçons tiennent également en haute estime ; mais malgré la gloire et le prestige de Newton, aucune loge maçonnique ne le réclame comme membre.

Il est connu que Newton s'intéressa à l'alchimie, ce qui aurait pu être très dangereux à son époque. Les peines étaient très lourdes pour quiconque abordait ce sujet, pouvant aller jusqu'à l'exécution publique.

Dans son livre *Iconographie contestée*, James Frazier explique le retard dans la publication des travaux alchimiques de Newton :

> « Dans un effort destiné à protéger l'image et le statut de Newton, la mise sous le boisseau délibérée de ses travaux alchimiques commença presque immédiatement après sa mort... Les manuscrits alchimiques et théologiques furent réunis et marqués par le Dr Pellet comme inappropriés à la publication. Cette décision concernait des textes et manuscrits théologiques et alchimiques représentant plus de deux millions quatre cent mille mots. »

Newton prétendit également avoir découvert le calcul différentiel indépendamment de Gottfried Leibniz, un autre mathématicien génial. Irascible, Newton clama que l'Allemand avait volé ses idées. Cette dispute et les querelles qui s'ensuivirent avec Robert Hooke et d'autres montrent une facette du personnage qui n'est pas particulièrement avenante.

Newton était apparemment un mauvais professeur, car ses étudiants évitaient ses cours. Humphrey Newton, un parent éloigné, écrivit dans une lettre : « Si rares étaient ceux qui allaient l'écouter et plus encore ceux qui le comprenaient, que souventes fois, faute d'auditeurs, il s'adressa aux murs. » D'évidence, les étudiants avaient du mal à suivre cet esprit brillant.

Newton s'intéressa beaucoup au savoir des peuples anciens, notamment les Égyptiens. Dans *La Chronologie des anciens royaumes, révisée*, il écrivit que l'étude de l'astrologie avait vu le jour en Égypte sous l'égide des prêtres. Il analysa les systèmes de mesure des Égyptiens, et plus particulièrement la coudée.

Parmi ses autres activités, il occupa le poste de garde et maître de la monnaie royale, de 1696 jusqu'à la fin de sa vie. Avec son énergie coutumière, il se lança dans une campagne de lutte contre les faussaires, fort nombreux à l'époque et punis de la peine capitale. Il fut également membre de la Royal Society, qu'il présida de 1703 à sa mort, et membre du Parlement de 1689 à 1690 puis de nouveau en 1701.

Sir Isaac Newton mourut le 20 mars 1707. Il repose à l'abbaye de Westminster à Londres et fut le premier scientifique à avoir l'honneur insigne d'y être inhumé.

L'économiste Maynard Keynes, qui acheta une grande partie de la collection de manuscrits de Newton, déclara lors d'un discours à la Royal Society en 1942 : « Newton ne fut pas le premier de l'âge de la raison. Il fut le dernier de celui des magiciens. »

VOIR ÉGALEMENT : Alchimie, Pierre philosophale.

ŒIL OMNISCIENT

L'œil omniscient apparaît sur le Grand Sceau des États-Unis, symbole mystérieux qui figure sur les billets d'un dollar.

Cet œil entouré de rayons lumineux représente Dieu depuis des siècles. Indiquant l'omniprésence du regard divin sur toutes choses, si menues ou lointaines soient-elles, c'est l'image forte d'une divinité omnisciente.

Chez les francs-maçons, il est appelé œil de la Providence. Il n'est habituellement pas lié à la pyramide quand il est utilisé dans les tenues d'apparat maçonnes et flotte soit dans le vide, soit parmi des nuages.

Un œil au centre d'un triangle apparaît ainsi à l'époque médiévale, mais dans ce cas le triangle représente la sainte Trinité de la foi chrétienne et non une pyramide.

Si nous remontons plus loin dans l'histoire, nous retrouvons ce symbole dans l'Égypte ancienne : c'est l'œil d'Horus. Il servait souvent d'amulette protectrice que l'on glissait dans les enveloppes qui protégeaient le corps momifié des pharaons menés au tombeau.

La première représentation où l'œil de la Providence figure en compagnie d'une pyramide semble être celle du Grand Sceau. Il n'existe pas d'autre exemple antérieur connu.

C'est Pierre-Eugène du Simitière, un artiste et philosophe d'origine suisse, qui plaça l'œil de la Providence dans le Grand Sceau des États-Unis quand on lui demanda de concevoir un emblème pour ce pays.

Sur le croquis original, nous trouvons la description suivante : « L'œil de la Providence dans un triangle rayonnant dont la gloire rejaillit sur l'écusson et au-delà des chiffres. »

Les versions comprenant l'œil de la Providence furent refusées à deux reprises par les divers comités qui se réunirent pour décider de l'emblème américain. Cependant, en 1782, six ans après la création du premier comité, il fut proposé que l'œil figure sur le revers du sceau et c'est ainsi qu'il finit par être placé au-dessus de la pyramide inachevée.

Quelles qu'aient été les raisons de l'assemblage de ces deux symboles forts, l'œil et la pyramide, le résultat final est particulièrement frappant. L'œil semble effectivement achever la pyramide. C'est une allégorie très habile, qui laisse entendre que seule la Providence permet à l'espèce humaine d'atteindre la perfection.

Bien sûr, comme le suggère Dan Brown dans *Le Symbole perdu*, il pourrait s'agir d'une métaphore visant à opérer une transformation plus personnelle : l'apothéose de l'esprit humain dans celle du divin, la transformation d'un bloc de pierre brute, l'esprit humain, en une forme plus parfaite.

Il reste à noter à ce sujet que le personnage de Katherine Solomon explique dans le chapitre final du livre (133) que la glande pinéale du cerveau humain peut être comparée à l'œil omniscient. Cette glande, selon la tradition occidentale des mystères, est l'organe du corps humain souvent considéré comme le mythique « troisième œil ». Cela nous conduit au bouddhisme et à l'hindouisme, dans lesquels les concepts de troisième œil et de sixième chakra (situé sous le front) sont largement acceptés. Selon la tradition indienne, ce troisième œil est « l'œil de la connaissance » ; sa puissance est telle qu'il fonctionne plutôt comme un gourou intérieur qui nous enseigne tout ce que nous devons savoir, à condition d'avoir les sens en éveil. Voilà qui s'emboîte évidemment fort bien avec les idées avancées dans *Le Symbole perdu*, où il est très clairement dit que « Dieu est en nous ».

Enfin, nous ne pouvons clore le chapitre sur l'œil omniscient sans mentionner que Manly P. Hall, le mystique que Dan Brown cite dans son roman, publiait un magazine mensuel baptisé *L'Œil omniscient*, dans lequel il traitait de divers sujets ésotériques, notamment l'Atlantide, le tarot, le yi-qing, la franc-maçonnerie, les mystères de l'Égypte ancienne et de la Méso-Amérique.

VOIR ÉGALEMENT : Glande pinéale, Grand Sceau des États-Unis, Manly P. Hall.

ORDRE DE L'ÉTOILE ORIENTALE

Contrairement à son équivalent la franc-maçonnerie, l'Ordre de l'Étoile orientale (OEO) et ses liens maçonniques sont relativement inconnus du grand public. En fait, cet ordre apparaît quand Robert Langdon est interrogé par l'un de ses étudiants d'Harvard sur l'exclusion des femmes de la franc-maçonnerie. Langdon rétorque que l'Ordre de l'Étoile orientale est la branche féminine de la franc-maçonnerie. Pourtant, s'il est vrai que la plupart de ses membres sont des femmes, l'OEO est ouvert aux deux sexes et possède comme plus hauts dignitaires, au niveau général comme dans chaque chapitre, une digne matrone et un digne protecteur.

Son siège international se trouve à Washington, sur Dupont Circle, et on compte près de 10 000 chapitres dans vingt pays pour un million de membres dans le monde.

Pour rejoindre l'OEO, il faut être soit maçon, soit une parente d'un maçon : son épouse, sa fille, nièce, belle-mère (marâtre), sœur, belle-sœur ou même belle-mère – bien que la tante, détail intéressant, ne figure pas dans la liste des affiliations possibles. De la même manière, les membres de l'Ordre international des Filles de Job et de l'Ordre international de l'Arc-en-ciel, organisation de jeunesse pour les filles financée par les maçons, ont également la possibilité de le rejoindre une fois leurs dix-huit ans révolus. L'OEO est un « ordre social » pour des gens de toutes religions qui croient à un être suprême (les athées n'y sont pas admis) et désirent améliorer la condition de leurs prochains. Ses croyances et ses enseignements, diffusés au fur et à mesure des degrés, sont la fidélité, la constance, la loyauté, la foi et l'amour. En accord avec ces principes, ses membres collectent de vastes sommes d'argent en faveur de leur collectivité et d'organisations charitables internationales.

Comme l'observe Langdon, on avance que l'Ordre fut fondé en France dès 1703, bien que ce ne soit pas avéré. Cependant, dès 1850, le Dr Rob Morris, juriste américain et maître maçon, avait instauré les degrés de l'Étoile orientale sous leur forme actuelle pour permettre aux femmes de rejoindre une fraternité maçonnique. C'est à cette époque que le Dr Morris rédigea le rituel de l'Ordre, publié en 1865 sous le titre de *Rosaire de l'Étoile orientale*, détaillant les degrés de l'Ordre, ses noms, signes, symboles, couleurs et pratiques. L'Étoile orientale garde soigneusement le secret sur les raisons de son choix de symboles et d'emblèmes, même s'il paraît qu'ils ont trait à des légendes associées à cinq héroïnes bibliques : Ada, Ruth, Esther, Marthe et Electa, dont les membres de l'OEO doivent s'inspirer.

Ces héroïnes sont symbolisées par un pentacle inversé dont chacune des branches est associée à un rôle, un symbole et une couleur spécifiques.

Ainsi, Ada est la fille, sa couleur est le bleu de la loyauté, et son symbole un voile et une épée, signifiant par là qu'elle a sacrifié sa vie pour sauver l'honneur de son père. Elle représente le premier degré du rituel de l'Étoile orientale et figure sur la branche droite de l'étoile.

Dans le sens des aiguilles d'une montre, le deuxième degré est Ruth, la veuve, représentée par le jaune – la constance – et une gerbe d'orge, emblème de l'abondance, rappelant Ruth glanant les épis laissés après la récolte pour subsister après son veuvage.

L'héroïne du troisième degré est Esther, l'épouse. Blanche – la loyauté –, elle est la branche inférieure du pentagramme et arbore la couronne et le sceptre qui la désignent comme reine et rappellent la noblesse de son sacrifice pour les siens.

La quatrième branche est verte − la foi − et symbolise Marthe, la sœur. Elle est représentée par une colonne brisée, symbole des incertitudes de l'existence.

Le cinquième et dernier est rouge − l'amour − pour Electa, la mère. Elle incarne la patience et l'acceptation de la volonté de Dieu malgré les persécutions et les souffrances. Son symbole est la coupe, qui rappelle sa charité et son hospitalité.

Le milieu de l'étoile forme un pentagone dans lequel se dresse un autel orné d'un livre ouvert, symbolisant l'obéissance à la parole divine. Autour du pentagone est écrit le mot « FATAL », acronyme de « *Fairest Among Thousands, Altogether Lovely* ».

S'il est facile de comprendre pourquoi un pentacle fut choisi, étant donné les cinq rôles généralement dévolus aux femmes, il est plus difficile de comprendre le choix d'un pentacle inversé comme emblème, étant donné les connotations négatives généralement associées à l'étoile inversée. La raison souvent invoquée est qu'elle représente l'Étoile de Bethléem, qui pointait du Ciel vers la Terre et indiqua le chemin vers le Christ. Et le nom de l'ordre semble faire allusion à cette étoile, surtout si l'on considère la devise de l'OEO : « Nous avons vu son étoile à l'orient et ils sont venus l'adorer » (Matthieu 2 :2). C'est le Dr Rob Morris qui fit ce lien en 1886 en déclarant, comme le cite Willis D. Engle dans *Histoire de l'Ordre de l'Étoile orientale :*

« L'Étoile orientale ou Étoile de Bethléem guida autrefois les trois mages (en anglais "hommes sages") vers le lieu de naissance de l'Enfant Jésus. Mais l'Étoile orientale est désormais celle qui guide cinquante mille *femmes* sages pour qu'elles atteignent le plus haut niveau de mérite et d'utilité terrestres. »

Cependant, certains commentateurs ont noté que l'emblème ne peut être l'Étoile de Bethléem, celle-ci étant traditionnellement représentée à six branches. Ils avancent en revanche que, selon des textes et des imageries de l'Égypte ancienne, l'étoile à cinq branches est spécifiquement liée à Sirius, qui représentait la déesse Sopdet, symbolisant l'Étoile du matin. D'autres remarquent que le pentacle inversé est étroitement lié au Baphomet, personnage qui a été par erreur identifié au Diable et au satanisme.

L'OEO compte parmi ses membres célèbres Eleanor Roosevelt, épouse de Franklin D. Roosevelt, trente-deuxième Président des États-Unis, Laura Ingalls Wilder, auteur de la série de livres pour enfants *La Petite Maison dans la prairie*, et la poétesse Maya Angelou.

VOIR ÉGALEMENT : Franc-maçonnerie.

OUROBOROS

Dan Brown précise dans *Le Symbole perdu* que le personnage de Mal'akh porte sur la tête le tatouage d'un serpent qui se mord la queue, dont le nom est Ouroboros. Est-ce une invention de l'auteur, ou bien une créature que la plupart d'entre nous n'a jamais rencontrée ?

Au début du chapitre 128, nous est communiquée une information importante : une image d'Ouroboros. Voici de nouveau le serpent qui se mord la queue. C'est le septième symbole d'une séquence d'images que Robert Langdon tente de déchiffrer, et il semble signifier la complétude.

La figure du serpent qui se mord la queue serait apparue chez les Égyptiens anciens vers le milieu du IIe millénaire avant J.-C. Quelques siècles plus tard, sous la dynastie Zhou, en Chine, le dragon ou serpent qui se mord la queue réapparaît. Est-ce une coïncidence si deux des grandes civilisations séparées par un immense continent développèrent le concept de ce symbole indépendamment l'une de l'autre ?

Les Phéniciens reprirent l'ouroboros pour l'intégrer à leur culture. Ce peuple qui occupait la zone côtière de l'actuelle Syrie était essentiellement navigateur et marchand, et fonda des colonies sur tout le pourtour et les îles de la Méditerranée. On leur attribue la découverte de la fabrication du verre, une matière luxueuse très recherchée, et leurs expéditions leur permirent de diffuser largement leurs idées. Les Grecs anciens adoptèrent ensuite l'ouroboros, lui donnant le nom que nous connaissons aujourd'hui, qui signifie « mange-queue ».

L'ouroboros a fini par symboliser le cycle de la nature, la vie qui naît de la mort, la création qui suit la destruction. Une théorie avance que le yin et le yang chinois sont un symbole plus ancien et que c'est sa transformation, probablement en Égypte, qui donna naissance à l'ouroboros. Le yin et le yang représentent la création, et l'ouroboros ne cesse de se re-créer. Le yin symbolise la terre, féminine, sombre et négative, alors que le yang symbolise le ciel, masculin, lumineux et positif. Pour parvenir à l'équilibre, chacun doit se nourrir de l'autre.

Dans l'alchimie, l'ouroboros est un serpent, parfois un dragon, qui à une époque reculée était souvent appelé ver. Il forme un cercle et se nourrit de lui-même, se recyclant perpétuellement, métaphore du cycle de naissance et de mort. Les alchimistes considèrent également l'ouroboros comme le symbole de l'affrontement des contraires.

La gnose, forme d'enseignement spirituel affirmant que ses disciples possédaient une illumination particulière, enseignait que le disque solaire pouvait être vu comme un immense dragon tenant sa queue dans sa gueule. La plupart des gnostiques se réfèrent à Dieu comme la « Monade » (Un). Pour eux, un dieu imparfait avait créé un monde tout aussi imparfait, et il était habité par des âmes divines, les êtres humains.

Une autre forme de mysticisme, l'hermétisme, est un ensemble de croyances reposant sur les écrits attribués à Hermès Trismégiste (Hermès « Trois-Fois Grand »), qui aurait été un brillant prêtre égyptien. On disait qu'il avait été associé au dieu de la Sagesse, Thot. Durant la Renaissance, les croyances hermétiques ont considérablement influencé ceux qui avaient le loisir et la capacité de s'intéresser à la magie et à l'occulte. L'un de leurs symboles était l'ouroboros, qui symbolise le cycle éternel de la vie.

Dans plusieurs degrés de la franc-maçonnerie de Rite écossais, les costumes, notamment le tablier, de ceux qui ont atteint un tel degré sont ornés de l'image de l'ouroboros.

La mythologie nordique détient sa propre version : le serpent Jormundgand. C'était l'un des trois enfants du dieu Loki, le Rusé aux multiples formes. Odin, le roi des dieux, se rendant compte qu'un jour Jormundgand serait cause de grands troubles, jeta le serpent dans le vaste océan qui entoure le monde. Cependant, la créature était si immense qu'elle pouvait faire le tour du monde en se mordant la queue. Les dieux et les hommes étaient pris au piège.

On raconte que Friedrich August Kekulé, un chimiste allemand du XIXe siècle, rêva un jour du serpent qui se mord la queue. À l'époque, ses recherches sur le benzène n'avançaient pas. À son réveil, il se rappela le cercle formé par le serpent et se rendit compte que son rêve contenait la solution de son problème : le serpent était un anneau fermé d'atomes de carbone. C'est ce qui s'appelle résoudre un problème en dormant dessus.

L'ouroboros a eu une importance pour grand nombre de peuples au cours de l'Histoire. Si, au premier abord, on peut penser que ces peuples avaient peu de points communs, en fait ils étaient tous unis par ce symbole du serpent qui se mord la queue.

VOIR ÉGALEMENT : Alchimie, Franc-maçonnerie de Rite écossais, Hermétisme.

PIERRE PHILOSOPHALE

La pierre philosophale est l'un des plus grands secrets de l'alchimie, à tel point que nous ne savons pas exactement de quoi il s'agissait. Sa véritable nature a été si jalousement dissimulée au cours des siècles qu'il est difficile de s'en faire une idée aujourd'hui.

Dans *Le Symbole perdu*, Robert Langdon découvre un acronyme sur le mur d'une salle enfouie sous le sol du Capitole : « VITRIOL ». Nous apprenons qu'il signifie « *Visita Interiora Terræ, Rectificando Invenies Occultum Lapidem* », ce que l'on traduira par : « Descends dans les entrailles de la Terre et en distillant (littéralement : en rectifiant) tu trouveras la pierre cachée. »

La partie la plus intéressante de la phrase est « *occultum lapidem* », « la pierre cachée », peut-être une allusion à la pierre philosophale des alchimistes, leur véritable Graal.

Aussi, avant de poursuivre, voyons ce que nous savons exactement de la pierre philosophale. Cet objet, ou substance fabuleuse, était décrit comme un élixir d'immortalité, la fontaine de jouvence qui apparaît dans d'innombrables cultures sous une forme ou une autre. Au Moyen Âge en particulier, les alchimistes étaient obsédés par le désir de la créer. Certains des plus grands alchimistes d'Europe et du Moyen-Orient s'y attachèrent : Ostanes, Nicolas Flamel, le comte de Saint-Germain, Fulcanelli et même Isaac Newton figurent parmi eux. Outre la faculté d'accorder l'immortalité, l'élixir était considéré comme un agent permettant d'accomplir la transmutation du plomb en or. Ce fut l'objet de nombreuses expériences et de débats au cours des siècles, et beaucoup doutaient qu'elle existe vraiment, jugeant plutôt que c'était le symbole d'une substance idéale, de la perfection elle-même.

Zosime de Panopolis, historien qui vécut à la fin du V⁵ siècle, écrivit ceci : « Reçois cette pierre qui n'est pas une pierre, une chose précieuse qui n'a nulle valeur, une chose de bien de formes qui n'a pas de forme, cet inconnu qui est connu de tous. »

Nous savons que l'alchimie possède deux voies, l'une que nous pouvons qualifier d'exotérique, traitant de la transmutation des métaux vils en métaux nobles comme l'or, et l'autre que l'on appellerait ésotérique, se préoccupant davantage de la transformation de l'âme mortelle de l'homme en divin. À cet égard, beaucoup ont mis sur le même pied la pierre philosophale et le Saint Graal lui-même. Dans l'un des plus anciens récits traitant du Graal, *Parzival*, écrit par Wolfram von Eschenbach au début du XIIIᵉ siècle, il nous est très clairement annoncé que le Graal est en réalité une pierre :

« Si tu l'ignores, il te le sera dit ici. Elle est appelée *lapsit excillis*. Par le pouvoir de cette pierre, le phénix est réduit en cendres, mais celles-ci lui redonnent la vie. Ainsi, le phénix mue et change de plumage, qui redevient alors brillant et resplendissant et aussi magnifique qu'avant.
Jamais il n'y eut d'être humain assez malade qui, s'il voit un jour cette pierre, puisse mourir dans la semaine suivante. Et dans son apparence, il ne dépérira point. Elle restera la même, soit-il jeune fille ou homme, qu'au jour où il vit la pierre, le même qu'aux meilleurs jours de sa vie, et même s'il ne la revoit pendant deux cents ans, il ne changera point, bien que ses cheveux grisonnent peut-être un peu. La pierre donne un tel pouvoir à l'homme que la chair et les os sont de nouveau jeunes. La pierre est aussi appelée le Graal. »

Dans *L'Élixir et la Pierre*, Michael Baigent et Richard Leigh discutent du sens possible de « *lapsit excillis* » :

« Les chercheurs ont proposé de nombreuses interprétations de l'expression "*lapsit excillis*", qui semblent toutes plus ou moins plausibles. Il pourrait s'agir d'une corruption de "*lapis ex cælis*" – "pierre venue des cieux". Ce pourrait être une troncation de "*lapis lapsus ex caelus*" – "une pierre tombée du ciel". Bien entendu, le plus évident serait "*lapis elixir*", la pierre philosophale et l'élixir de l'alchimie. [Le *Parzival* de Wolfram] déborde de symbolisme alchimique. Le phénix, par exemple, est une image familière des travaux alchimiques, et Wolfram l'invoque. »

Une autre possibilité serait « *lapis lapsus exiliens* », qui paraît être une traduction du nom d'une pierre légendaire mentionnée par le géographe arabe du XIIe siècle, Muhammad al-Idrisi, qu'il appela « la pierre qui s'éleva et tomba » et qui est liée à celle qui se trouve dans le dôme du Rocher à Jérusalem, pierre d'où Mahomet s'éleva vers les cieux. Cette pierre est connue des érudits juifs sous le nom d'Eben Shetiya, ce qui se traduit par « pierre de fondation ».

Le Saint Graal et la pierre philosophale pourraient être le même objet que dans l'histoire du légendaire Hermès Trismégiste, dont les écrits forment la base de l'hermétisme et de l'alchimie. On attribue à ce dernier la rédaction de la Table d'Émeraude, et Isaac Newton traduisit le texte, qui décrit ainsi la table d'émeraude éponyme : « Elle s'élève de la Terre vers le Ciel et redescend sur la Terre et reçoit la force des choses supérieures et inférieures. » Notez la curieuse similitude entre un objet qui « s'élève de la Terre vers le Ciel et redescend sur la Terre » et « la pierre qui s'éleva et tomba » décrite par al-Idrisi.

La question est de savoir si la Table d'émeraude existe réellement sous une forme physique. L'expression « *lapis ex cælis* », « la pierre venue des cieux », nous conduit aux météorites, qui, nous le savons, étaient très prisées dans l'Antiquité. Il existe une substance vitreuse de couleur verte appelée moldavite qui se forme lors de l'impact de météorites sur le sol. Cette pierre semi-précieuse est souvent utilisée en joaillerie. Si nous examinons de nouveau la traduction de la Table d'émeraude par Newton, nous trouvons un indice prometteur : « Sa force ou son pouvoir est entière si elle est convertie dans la terre. » C'est exactement la description de la moldavite. Elle est créée dans le feu quand le « pouvoir » ou l'énergie d'une météorite frappe la terre, donnant naissance à cette nouvelle substance : la chimie sacrée des dieux, pour quelqu'un qui serait un alchimiste.

Une récente traduction par Nineveh Shadrach de l'original arabe de la Table d'émeraude change la phrase en question en « C'est un feu qui est devenu notre terre », ce qui décrit là encore le processus de formation de la moldavite. Cette nouvelle traduction contient une variante intrigante de la phrase que nous trouvons dans la version de Newton : « Elle extrait les lumières des hauteurs et descend sur la Terre en contenant le pouvoir du dessus et du bas car elle est avec la lumière des lumières. En conséquence, l'obscurité la fuit. »

Se pourrait-il que la Table d'émeraude soit un gros morceau de moldavite sur lequel le texte d'Hermès Trismégiste fut gravé ? Ce serait fascinant, car le mot dont est tiré « Graal » est très probablement le persan *ghr*, qui signifie « perle » ou « pierre ». En outre, le mot persan *ghr'al*, qui ressemble beaucoup à notre « Graal » signifie « pierre gravée ». Cela signifie que nous n'avons pas à trancher entre « *lapis ex cælis* », « pierre venue des cieux » et « *lapis elixir* », la pierre philosophale, pour indiquer le Graal. Si la Table d'émeraude est un morceau de moldavite gravé, la pierre philosophale est les deux en même temps : une météorite sacrée tombée du ciel avec des propriétés magiques, portant gravés les enseignements alchimiques d'Hermès Trismégiste.

Si telle est l'essence de la pierre philosophale, ce serait l'artefact le plus précieux du monde antique. Les météorites étaient adorées dans de nombreuses civilisations du monde entier. Il n'est donc pas surprenant de découvrir que l'un des objets les plus sacrés du mythe et de la légende, la pierre philosophale, pourrait avoir son origine dans le ciel lui-même.

VOIR ÉGALEMENT : Akedah, Alchimie, Hermétisme, Sir Isaac Newton.

RITE DE CERNEAU

Dans le prologue du *Symbole perdu*, Dan Brown parle d'un rituel maçonnique durant lequel Mal'akh est initié au trente-troisième degré. Cette scène se déroule telle qu'un profane pourrait l'imaginer et comprend tous les stéréotypes convenus sur le sujet. Cependant, ce n'est pas une description réaliste de la pratique maçonnique actuelle, c'est en effet l'un des seuls passages du roman où l'auteur paraît broder et conférer une dimension sinistre aux rituels et aux symboles de la franc-maçonnerie.

Ce prologue relate un rituel initiatique bien documenté, mais il ne correspond à pas celui du Rite écossais ancien et accepté qu'il est censé décrire. Le rituel remonte en fait au XIXe siècle, quand un groupe renégat de maçons du Rite écossais fonda le Rite de Cerneau. Le Suprême Conseil de Cerneau ne fut jamais vraiment reconnu, même par les juridictions nord ou sud du Rite écossais. Il resta en dehors de la maçonnerie, fondant de puissants avant-postes à New York et dans le New Jersey. Albert Pike, chef de la Juridiction sud du Rite écossais, s'opposa vivement à ce groupe et refusa de les reconnaître.

Dans le rituel, Mal'akh porte un crâne humain à ses lèvres afin de boire le vin rouge sang qu'il contient. C'est certes un élément du Rite de Cerneau pour le trente-troisième degré, où figurent un crâne et un squelette humains. L'invocation qui est prononcée ensuite par Mal'akh correspond également à ce rite. Le membre qui reçoit le trente-troisième degré prononce ces paroles :

« Je fais en outre le serment solennel de prêter allégeance au Suprême Conseil des États-Unis d'Amérique, à ses territoires et à ses dépendances. Je jure de ne jamais reconnaître d'autre groupe qui se prétende du Rite écossais ancien et accepté, hormis ceux qui prêtent allégeance au Suprême Conseil, ou ceux qui reconnaissent ce Conseil. À tous ceux-là, je fais solennellement serment en appelant le Très-Haut en témoin.

Si je devais violer sciemment ou volontairement ce serment, que le vin que je bois à présent soit pour moi un poison mortel, comme la ciguë que but Socrate [L'initié boit le vin contenu dans le crâne]. Et que ces bras glacés m'étreignent à jamais. [Les bras du squelette embrassent l'initié]. Amen. »

Certaines des paroles qui précèdent sont prononcées par Mal'akh durant le rite décrit dans le livre.

En 1807, Joseph Cerneau fonda un Grand Consistoire du rite d'Heredom à New York, réclamant le droit d'organiser et d'adouber des groupes selon le « Rite écossais ancien et accepté ». Dès 1813, il avait fondé un Suprême Conseil à New York et, à partir de 1816, des loges au Maryland et à Baltimore. Cependant, en 1889, un édit fut promulgué par le grand maître des maçons du District de Columbia contre les tenants du Rite de Cerneau, car des membres soi-disant partisans de ce rite avaient établi des relations fraternelles avec ceux du Grand Orient de France. Un deuxième édit fut promulgué, comme le rapporta le *New York Times* du 23 avril 1890 :

« Un deuxième édit sur le sujet vient d'être promulgué par le grand maître, annulant le précédent et le déclarant nul et non avenu. Il ordonne que les maîtres des loges sous sa juridiction cessent d'inclure dans l'épreuve reconnue et impérative administrée aux visiteurs à leurs loges la déclaration selon laquelle lesdits visiteurs ne sont membres d'aucun groupe prêtant allégeance au dit Rite de Gorgas-Cerneau. »

Cependant, leur réhabilitation au sein de l'ordre fut de courte durée, et dès le début du XXe siècle le Rite de Cerneau fut proscrit.

Aleister Crowley aurait été initié au trente-troisième degré du Rite écossais au Mexique, selon le Rite de Cerneau et ses rituels.

VOIR ÉGALEMENT : Aleister Crowley, Maison du Temple, Franc-maçonnerie, Rite Écossais, Franc-maçonnerie de Rite écossais.

ROSICRUCIENS

La Société des rosicruciens est « une société ésotérique fondée afin d'apporter un changement dans la civilisation européenne et de créer une société plus parfaite selon les valeurs hermétiques et les enseignements alchimiques ».

Comme pour la grande majorité des sociétés ésotériques, y compris les francs-maçons, il est difficile, sinon impossible, d'en identifier les véritables origines. Nombre d'écrivains avant Dan Brown ont avancé que les Rosicruciens étaient à l'origine de la franc-maçonnerie. Robert Langdon explique dans *Le Symbole perdu* que la Rose-Croix est un symbole de la franc-maçonnerie en hommage aux premiers Rosicruciens et à leur contribution à la philosophie maçonnique.

La franc-maçonnerie comporte en effet divers rituels se référant à la fraternité de la Rose et de la Croix. Le dix-huitième degré du Rite écossais ancien et accepté est appelé degré Rose-Croix, qui lui-même fait partie des cérémonies de l'Ordre royal d'Écosse. Il existe également des sociétés rosicruciennes dont l'accès est réservé aux seuls francs-maçons. L'une d'elles, la Societas Rosicruciana in Anglia (SRIA) fut fondée à Londres en 1867. Elle ne doit pas être confondue avec la Societas Rosicruciana in America, non maçonnique, fondée en 1909. Et comme si cela n'était pas assez compliqué, il existe aussi un équivalent maçonnique américain connu sous le nom de Societas Rosicruciana in Civitatibus Fœderatis (Scrif).

La hiérarchie des degrés de ces sociétés est la suivante :

Premier Ordre

Degré I   – *Zelator*
Degré II   – *Theoricus*
Degré III – *Practicus*
Degré IV – *Philosophus*

Deuxième Ordre

Degré V   – *Adeptus Minor*
Degré VI – *Adeptus Major*
Degré VII – *Adeptus Exemptus*

Troisième Ordre

Degré VIII– *Magister*
Degré IX – *Magus*

Chaque degré incite le membre à étudier plus profondément les mystères rosicruciens. Un certain nombre de membres de la SRIA anglaise étaient des maçons particulièrement mystiques qui fondèrent une célèbre école occulte, l'Ordre hermétique de l'Aube d'or, en 1888. Aleister Crowley, membre de cette société, fut accusé de pratiquer la magie noire. On raconte qu'il aurait également été un maçon du trente-troisième degré, bien que ce soit contesté. Mal'akh, dans *Le Symbole perdu*, revendique Crowley dans sa quête de pouvoir et de connaissance.

Le mystique chrétien Arthur Edward Waite fut un contemporain de Crowley, lui aussi franc-maçon et membre de l'Aube d'or. Écrivain prolifique dans tous les domaines de l'ésotérisme, il écrivit dans *Une nouvelle encyclopédie de la franc-maçonnerie* (1922) que nous « devons en outre nous rappeler que le mystère rosicrucien était celui de la divine renaissance, en vérité de l'espèce que nous rencontrons – bien que recouverte de plusieurs voiles – dans le cérémonial de la franc-maçonnerie ».

Cette « divine renaissance » se produit à l'intérieur de l'individu, et explique le message figurant dans un chapitre clef du *Symbole perdu*. Au Washington Monument, Peter Solomon révèle à Robert Langdon que la vérité sur les anciens mystères est la prise de conscience que les êtres humains ne sont pas les sujets de Dieu, mais qu'ils possèdent la faculté d'être eux-mêmes des dieux lorsqu'ils comprennent cette vérité.

L'ordre rosicrucien mentionné par Robert Langdon, l'Ancien et Mystique Ordre de la Rose-Croix (Amorc), déclare que son objectif est « l'étude des mystères intangibles de la vie et de l'univers ». Cette « antique » organisation fut en réalité fondée à New York en 1915. Cependant, pour leur défense, ses membres prétendent être les héritiers d'une tradition orale qui remonte à plus de trois millénaires sous le règne du pharaon égyptien Touthmôsis III. L'Amorc admet également l'influence du pharaon « hérétique » Amenhotep IV, qui passa à la postérité sous le nom d'Akhenaton en renversant les anciens dieux pour les remplacer par le dieu unique Aton.

Entre autres membres, les rosicruciens ont rassemblé les médecins Paracelse et Michael Maier, l'alchimiste Robert Fludd, sir Isaac Newton, sir Francis Bacon, Benjamin Franklin, le mathématicien John Dee, le franc-maçon et spécialiste de l'Antiquité Elias Ashmole et le mystique Jacob Boehme. Robert Langdon y fait allusion dans *Le Symbole perdu*.

En termes de preuves écrites, la première mention des rosicruciens apparaît dans le recueil de textes du début du XVIIe siècle, connu sous le nom de *Manifestes rosicruciens*. Katherine Solomon, la scientifique noétique et sœur de Peter, explique à Langdon qu'elle a étudié ces documents.

Les *Manifestes* circulèrent en Allemagne avant que l'Europe ait vent de cette mystérieuse et mystique fraternité, pour parvenir plus tard aux États-Unis et dans le reste du monde. Le premier, *Fama Fraternitatis, ou Découverte de la fraternité de l'illustre Ordre de la Rose-Croix,* fut imprimé à Kassel, en Allemagne, en 1614 (bien que des versions manuscrites datant de 1610-1611 aient été depuis mises au jour). En 1615 suivit un deuxième manifeste, intitulé *Confession Fraternitatis, ou Confession de l'illustre fraternité de l'Ordre de R.-C. aux érudits d'Europe.* Nul ne sait qui en est l'auteur et certains chercheurs ont remis en cause l'existence d'un tel groupe, se demandant si ce n'était pas simplement un canular très élaboré. Cependant, la suite fut bien réelle, lorsque des groupes rosicruciens commencèrent à apparaître.

En 1616 parut un autre document, *Les Noces chymiques de Christian Rosenkreutz.* D'un style légèrement différent, il fut attribué au pasteur luthérien Johannes Valentinus Andreæ. L'expression « noces chymiques » vaut la peine d'être soulignée, puisque c'est une référence au processus alchimique de transmutation spirituel par lequel est recherché un mariage des contraires afin de découvrir l'élixir de vie ou la pierre philosophale et de parvenir à la connaissance de Dieu.

Les explications concernant la dénomination de cette société varient. Dans *Le Symbole perdu,* Robert Langdon explique à Katherine Solomon que la Rose-Croix est un symbole binaire, « deux symboles fusionnés en un seul ». Les Égyptiens utilisaient une croix pour exprimer l'intersection entre les domaines céleste et humain, ou le célèbre concept « Ainsi en haut, ainsi en bas ». C'est aussi le sens que recouvre le symbole de l'équerre et du compas maçonniques représentant la transformation. La rose figure l'amour ou l'esprit et la croix grecque équivaut à la matière. L'esprit est donc crucifié dans la matière et le travail du mystique rose-croix consiste à le libérer en explorant, comprenant et équilibrant ou mariant la pensée rationnelle avec la spiritualité. L'allusion au Christ et à la promesse de résurrection de la tradition chrétienne est évidente.

Les documents les plus anciens déclarent que ce qui est rendu public pour la première fois est un ordre fondé par un mystique appelé frère Christian Rosenkreutz. Né en 1378, cet individu voyagea à l'étranger pour étudier avec les mystiques arabes, auprès de qui il apprit la sagesse ésotérique, la kabbale, l'hermétisme et l'alchimie. De retour en Europe, mis au ban de la communauté savante, il fonda une société destinée à faire le bien en secret. Dans le rosicrucianisme, il est demandé à chaque frère de se mêler à la société, d'y rester inconnu, mais de faire chaque année un rapport sur les progrès accomplis. En outre, chaque frère doit se choisir un successeur à qui il lèguera les mystères et transmettra les secrets.

À sa mort, Christian Rosenkreutz fut déposé dans une crypte à sept côtés et trois niveaux, qui contenait également des livres et du matériel occulte. Ce tombeau comportait des lampes éternelles qui, prétendra-t-on, brûlaient encore lorsqu'il fut apparemment redécouvert en 1604, sans que son emplacement soit révélé. La dépouille du fondateur aurait été retrouvée parfaitement intacte.

La première version imprimée connue de la *Fama Fraternitatis* en anglais est une traduction par le philosophe Thomas Vaughan parue en 1652. Dans une note très intéressante de son livre, *L'Illumination rosicrucienne*, Frances Yates déclare qu'une version manuscrite datant de 1633 fut découverte dans la bibliothèque de sir David Lindsay, premier lord Lindsay de Balcarres, connu pour s'être intéressé à l'alchimie. Il peut s'agir simplement d'une merveilleuse coïncidence, mais sa petite-fille épousa le fondateur de la Royal Society ou « Invisible College », qui était le premier véritable « gentilhomme maçon » ou « franc-maçon », sir Robert Moray.

Cependant, le fait qu'en 1638 un Écossais du nom d'Henry Adamson écrivit un étrange poème, *La Thrène des Muses,* contenant ces lignes célèbres, n'est pas une coïncidence :

« Pour ce que nous sommes frères de la Rose-Croix ;
Nous avons le mot de maçon et la seconde vue,
Et pouvons prédire les choses à venir. »

VOIR ÉGALEMENT : Alchimie, Aleister Crowley, Franc-maçonnerie, Hermétisme, Un seul vrai Dieu.

ROYAL SOCIETY & INVISIBLE COLLEGE

La Royal Society ou, pour lui donner son titre complet la Royal Society of London for the Improvement of Natural Knowledge (Société royale de Londres pour l'amélioration des connaissances naturelles) regroupe les scientifiques les plus respectés de notre époque. Les membres actuels comprennent Stephen Hawking, Richard Dawkins et sir Timothy Berners-Lee. Le lecteur peut se demander comment une telle institution aux membres si respectables peut apparaître dans *Le Symbole perdu*, en rapport avec l'étude de l'alchimie...

En fait, Dan Brown crédite l'Invisible College, une société d'esprits brillants et savants, de former une élite au sein de la Royal Society. Ses membres se sont réunis pour partager leur savoir et faire progresser leurs recherches. La Royal Society actuelle a donc bénéficié de connaissances anciennes transmises à travers les siècles depuis les écoles de mystères d'Égypte. Peter Solomon aurait eu des ancêtres qui étaient membres de la Royal Society.

Corps qui a succédé à l'Invisible College, la Royal Society est née de la collaboration d'un groupe de philosophes qui respectaient et discutaient l'œuvre de Francis Bacon. Dans son livre *La Nouvelle Atlantide*, Bacon décrivait un lieu appelé « Maison de Salomon » où étaient menées des recherches sur le monde naturel. C'est ce concept d'un groupe de sages cherchant à étendre le champ des connaissances humaines et les principes de la science expérimentale, décrits par Bacon dans *L'Avancement des sciences*, qui inspira la fondation de l'Invisible College.

Robert Boyle, l'un de ceux qui suivirent les principes de recherche de Bacon, mentionna nommément l'Invisible

College en 1646. Boyle, alchimiste, et auteur du *Chymiste sceptique*, écrivit ceci dans une lettre à son ancien professeur :

> « Le meilleur en est que les pierres angulaires de l'Invisible (ou, comme ils le disent eux-mêmes, Philosophique) College me font ici et là l'honneur de leur compagnie, ce qui me fait déplorer les occasions urgentes qui me forcent à les quitter. »

La Royal Society fut fondée le 28 novembre 1680 à Gresham College après une conférence donnée par sir Christopher Wren. Les douze membres fondateurs avaient pour but de former un « Collège pour la promotion de la science expérimentale physico-mathématique ».

Wren, architecte renommé qui dessina entre autres chefs-d'œuvre la cathédrale Saint-Paul de Londres, comme nombre d'hommes éclairés de son temps, ne se confinait pas à un seul domaine d'études : ses recherches s'étendaient à la médecine, l'astronomie et la microscopie.

Un fondateur clef de la Royal Society fut sir Robert Moray, un franc-maçon de premier plan – et presque certainement le même Robert Moray dont l'initiation en 1641 fut le premier exemple documenté de spéculatif (c'est-à-dire de maçon non ouvrier) à devenir membre. Moray était un soldat qui avait combattu dans l'armée française et avait été en contact avec Charles II durant son exil.

Charles II s'intéressait à la science, comme l'atteste sa création de l'Observatoire royal de Greenwich, et lorsque Moray l'informa de la fondation de la société, il donna son approbation. Un second décret royal la renouvela en 1663 à ce qui était connu dès lors comme la « Royal Society of London for Improving Natural Knowledge ».

Un autre fondateur de la Royal Society fut Elias Ashmole, initié franc-maçon en 1646, avant l'établissement de la Grande Loge. C'était un véritable homme de la Renaissance, s'intéressant à des sujets aussi divers que la politique, l'histoire, la science militaire et l'astrologie, mais surtout l'alchimie. On peut encore aujourd'hui admirer son héritage à Oxford, où il légua sa collection d'antiquités, de livres et de recherches à l'institution connue sous le nom d'Ashmolean Museum.

Robert Hooke, connu comme le « père de la microscopie », fut le premier curateur des expériences de la société ; il fut également géomètre après le grand incendie de Londres en 1666. Ses multiples talents et centres d'intérêt en font l'archétype des premiers membres de cette société.

Il existe des résultats tangibles des progrès scientifiques faits par les membres de la Royal Society et ils sont faciles à identifier et à comprendre, mais il n'en est pas de même pour l'Invisible College. Dans *L'Invisible College*, l'auteur maçonnique Robert Lomas commente ainsi la carrière de John Theophilus Desaguilers :

> « Desaguilers avait été introduit à la franc-maçonnerie alors qu'il était employé par le président de la Royal Society de l'époque, sir Isaac Newton, comme démonstrateur expérimental pour les réunions de la société. Desaguilers commença comme employé de la Royal Society. Sous le patronage de Newton, il devint membre de la Royal Society et s'éleva aux plus hauts degrés de la franc-maçonnerie anglaise. »

Desaguilers fut en fait le grand maître de la première grande loge d'Angleterre en 1719. Le nom d'Isaac Newton apparaît fréquemment dès que l'on discute de connaissances cachées et d'ésotérisme dans le cadre de la science. Newton fut président de la Royal Society de 1703 jusqu'à sa mort en 1727. Les hommes qui en étaient membres, experts dans plusieurs disciplines et capables de lire le grec et le latin, ne pouvaient qu'être familiers des philosophies et des enseignements anciens, y compris ceux qualifiés d'alchimiques ou d'hermétiques.

Dans *L'Avancement des sciences*, Francis Bacon écrit : « Il devrait exister une fraternité du savoir, par laquelle des hommes érudits pourraient échanger leurs connaissances et s'aider mutuellement... Cette fraternité du savoir devrait transcender les frontières nationales. »

L'idéal de fraternité internationale de Bacon a été réalisé par la Royal Society, qui compte des membres résidant à l'extérieur des frontières du Royaume-Uni, de l'Irlande et du Commonwealth.

Que les esprits scientifiques les plus brillants et novateurs de l'époque disposent d'un forum où échanger et développer leurs idées est en effet le rêve de Francis Bacon réalisé.

VOIR ÉGALEMENT : Sir Francis Bacon, Sir Isaac Newton.

SCEAU DE SALOMON OU ÉTOILE DE DAVID

Dans *Le Symbole perdu*, après avoir décrypté la pyramide et la clef de voûte, Katherine Solomon et Robert Langdon prennent un taxi et s'éloignent du Jefferson Building. Katherine Solomon comprend soudainement l'expression « *Jeova Sanctus Unus* », Un seul vrai Dieu. En dessinant l'étoile de David sur le grand sceau des États-Unis figurant sur un billet d'un dollar, elle révèle le mot « MAÇON », et décide de se rendre immédiatement à Freedom Plaza.

Le sceau de Salomon, ou étoile de David, se compose de deux triangles équilatéraux, l'un dirigé pointe en haut et l'autre pointe en bas, et les deux triangles sont imbriqués pour former une étoile à six branches. Ce symbole porte également le nom de bouclier de David. Les origines du symbole sont obscures, mais depuis des centaines d'années il est considéré et employé comme un emblème juif. D'après la tradition juive, le sceau de Salomon ornait des amulettes. Des textes talmudiques de l'époque médiévale font référence au sceau de Salomon gravé sur une bague, qui servait de protection contre les démons. Vers le XIe siècle, le terme de sceau de Salomon a été supplanté par celui d'étoile de David, mais nous ignorons pourquoi. Vers le XIIe siècle, ce motif est mentionné dans des commentaires bibliques juifs, notamment dans *Eshkol ha-Kofer* de Judah Ben Eli Hadassi, qui note que le bouclier de David signe des actes et constitue une sorte de protection. Si l'on garde à l'esprit la connotation de bouclier de cet emblème, il n'est pas étonnant que son usage primitif ait été celui d'une amulette.

L'hexagramme est aussi abondamment utilisé dans la tradition islamique, des étoiles à six branches étant gravées au fond de coupes, sur divers objets et dans la décoration des mosquées et autres bâtiments, et figurant également dans la littérature où il est lié spécifiquement au roi Salomon.

Le sceau de Salomon/étoile de David était également utilisé comme motif de décoration dans les synagogues. Christopher Knight et Robert Lomas rapportent dans *La Clef d'Hiram* les propos d'Alfreg Gotte, un constructeur de synagogues du XIXe siècle :

« Comme sa forme géométrique se prête facilement à toute fonction structurelle et décorative, c'est désormais un fait établi, déjà consacré par la tradition, que le *magen* (bouclier) David pour les juifs est le même genre de symbole sacré que la croix et le croissant dans les deux autres religions monothéistes. »

Quand le sultan Soliman le Magnifique restaura le mont du Temple à Jérusalem en 1536, il décora les murs d'enceinte de la ville de sceaux de Salomon en guise de protection.

Quelles que soient ses origines, ce sceau a une grande importance dans la kabbale, la tradition mystique juive. L'hexagramme symbolise d'abord le nombre sept : les six branches représentent les directions haut, bas, nord, sud, est et ouest, illustrant l'autorité universelle de Dieu, et l'hexagone central, qui contient l'Arbre de Vie, figurent l'harmonie et la grâce. Les deux triangles incarnent le Mal et le Bien, Dieu et l'Humanité, le Ciel et la Terre. Le triangle pointé vers le haut représente aussi le feu et le désir de l'humanité de retourner vers Dieu. Le triangle pointé vers le bas figure l'eau et la descente du divin dans le monde physique. En outre, l'hexagramme kabbalistique peut être utilisé pour illustrer les dix Sephiroth (attributs/émanations de Dieu) avec l'Arbre de Vie dans le centre et les neuf autres Sephiroth aux pointes et angles de l'hexagramme. Les douze signes du zodiaque sont également incorporés à l'hexagramme kabbalistique au sein des six branches.

En alchimie comme dans la kabbale, l'hexagramme représente le feu et l'eau. En outre, quand on trace une ligne horizontale entre le triangle du feu et le triangle de l'eau, l'air et la terre sont également figurés, ce qui illustre alors les quatre éléments. Dans l'alchimie, l'hexagramme est donc un signe de transmutation, et le livre d'Herbert Silberer, *Symbolisme caché de l'alchimie et des arts occultes*, considère le sceau de Salomon comme la pierre philosophale qui permet une métamorphose spirituelle. Dans *L'Encyclopédie des symboles*, Udo Becker note que l'hexagramme est « souvent un symbole de l'interprétation des mondes visible et invisible » et « le symbole de l'union de tous les contraires puisqu'il est composé des formes de base et des signes des éléments ».

L'hexagramme est très important dans le bouddhisme, en tant que symbole d'Anahata, le chakhra du cœur dans le yoga tantrique. Dans les pratiques religieuses et les traditions hindoues, le symbole a aussi un sens et une importance immenses : il est le signe de l'union sacrée entre Shiva et Shakti. Comme tels, les deux triangles imbriqués symbolisent les aspects mâle et femelle qui représentent ensemble la création elle-même. Le concept du $\triangle$ mâle comme « lame » et du $\triangledown$ femelle comme « calice » paraît ancien, il représente la force procréatrice mâle et la force reproductrice femelle. Ce thème figurait abondamment – et de manière très controversée – dans le précédent roman de Dan Brown, *Da Vinci Code*. Le partenariat « intime » suggéré par l'union sacrée des deux triangles sous la forme de l'hexagramme expliquerait pourquoi le Grand Sceau des États-Unis possède 13 étoiles, représentant les colonies originales, disposées pour former une étoile de David.

Dans la franc-maçonnerie, le sceau de Salomon symbolise l'union des principes mâle et femelle, actif et passif, et d'autres forces contraires comme lumière et ténèbres, bien et mal. Il est largement utilisé sur les insignes de fonction où il est souvent placé dans un cercle, ou comme motif décoratif dans les temples maçonniques.

L'hexagramme dans le paganisme est symbolique de l'harmonie et de la connaissance et symbolise le concept « Ainsi en haut, ainsi en bas », l'équilibre entre macrocosme et microcosme. Dans un registre plus sinistre, le texte magique du XVIIᵉ siècle, *La Clef inférieure de Salomon*, qui dresse la liste des démons et des esprits ainsi que leurs attributs, déclare que l'hexagramme est « montré aux Esprits lorsqu'ils apparaissent, afin qu'ils soient contraints de prendre forme humaine et de montrer obéissance ».

En effet, Aleister Crowley se servait de « l'hexagramme de Salomon » dans le rituel de la Bête, sans doute parce que le symbole représente 666, le nombre du diable, possédant six branches, formant un hexagone à six faces et six petits triangles.

VOIR ÉGALEMENT : Alchimie, Aleister Crowley, Franc-maçonnerie, Grand Sceau des États-Unis.

SHRINERS

Dans *Le Symbole perdu*, Inoue Sato explique que les membres de l'Ancient Arabic Order of the Nobles of the Mystic Shrine (Ordre arabe ancien des nobles du sanctuaire mystique) sont généralement appelés Shriners et forment une organisation paramaçonnique. Turner Simkins, autre personnage du roman, décrit les Shriners comme « des types qui construisent des hôpitaux pour les gosses » et se rappelle les fez rouges caractéristiques que portent ses membres.

Les Shriners virent le jour en 1870 à Manhattan, où des francs-maçons se retrouvaient régulièrement pour déjeuner. C'est durant ces réunions que l'idée d'une nouvelle fraternité dédiée à la camaraderie et à l'amusement fut évoquée. L'un des membres de ce groupe, William Florence, un acteur célèbre, fut plus tard invité par un diplomate arabe à une réunion à Marseille, durant laquelle fut donnée une comédie musicale, et la soirée prit fin sur la volonté collective de participer à une société secrète. William Florence fit des croquis et prit des notes de cette assemblée, ainsi que de deux autres réunions au Caire et à Alger.

En revenant à New York pendant l'été 1871, William Florence et un ami, Walter Fleming, convinrent d'un rituel, de costumes et d'insignes. Ils initièrent onze autres membres à leur fraternité. Leurs réunions gardèrent un thème arabe, conformément à leur titre. Le nombre de membres s'accrut et aujourd'hui on compte un demi-million de Shriners.

À Washington, l'Almas Shrine Temple, situé sur Franklin Park, est un édifice de cinq étages construit en 1929 dans un style moyen-oriental. Dans *Le Symbole perdu*, les indices « Ordre » et « 8 Franklin Square » sont au départ pris comme une allusion aux Shriners et à cette adresse.

Bien que le thème arabe fasse partie des usages des Shriners, leurs rituels ne comportent aucun élément islamique. Cependant, puisque tous les Shriners sont des maçons, les membres doivent professer une croyance en l'Être suprême. Il serait impossible à un athée ou à un agnostique d'en faire partie.

Les Shriners acquirent un statut de club de fêtards maçonniques. Comme le raconte John Greer dans *L'Encyclopédie des sociétés secrètes et de l'histoire cachée* :

> « Pendant la première moitié, sinon davantage, de son existence, le Shrine était avant tout un prétexte à des fêtes et des beuveries gigantesques. Dès le début des années 1880, la convention annuelle de l'Impérial Conseil, l'organe du gouvernement international du Shrine, avait déjà gagné la réputation de soirée la plus déchaînée du fraternalisme américain. »

Finalement, un objectif plus citoyen apparut avec des activités de levées de fonds, notamment les soins aux victimes de l'épidémie de fièvre jaune en Floride en 1888. À partir de 1930, fut lancé le projet de construire et d'entretenir des hôpitaux pour enfants, auquel leur nom est désormais rattaché. C'est dans ce contexte que Turner Simkins parle de l'organisation dans *Le Symbole perdu*.

Les Hôpitaux shriners pour enfants ont leur siège à Tampa, en Floride. Leur politique d'admission exige que les patients aient moins de dix-huit ans et soient en mesure d'être traités. Il existe à présent plus de 20 établissements gratuits en Amérique du Nord. Chacun de ces hôpitaux a sa spécialité. Par exemple, quatre d'entre eux traitent les brûlés, et trois autres les blessures à la colonne vertébrale. Outre les hôpitaux, les Shriners financent des cliniques de dépistage pour enfants. Ses médecins sont généralement spécialistes de l'identification et du traitement des déformations musculaires et osseuses.

La coiffe caractéristique des Shriners – le fez – fut choisie en référence au monde arabe. Bien que sa popularité décline en Afrique du Nord, les Shriners s'en tiennent à la tradition de porter le fez rouge à gland noir pour conserver ce lien avec le passé.

Les spectacles de cirque organisés par les Shriners font partie des attractions les plus populaires destinées à lever des fonds pour leurs œuvres. Présentant des acrobates, des chevaux et des chiens savants, des jongleurs et tout l'univers coloré et attrayant du cirque familial, ils attirent beaucoup de monde.

Bien que les Shriners soient une organisation masculine, il convient de préciser que des membres féminins des familles shriners peuvent rejoindre un groupe de femmes affiliées. Cette organisation, fondée en 1913, a choisi le nom de Filles du Nil.

L'un des plus célèbres Shriners fut Harold Lloyd (1893-1971), comédien, producteur de cinéma et acteur de films muets. Son visage, avec ses fameuses lunettes rondes à monture d'écaille, est instantanément reconnaissable. Mais il ne fut pas seulement un membre : il fut suffisamment actif pour devenir potentat impérial d'Amérique du Nord en 1949, et en 1963 président de la Shriners Hospital Corporation et du conseil d'administration.

En 2000, les conditions d'admission chez les Shriners ont été modifiées. Elles n'exigeaient plus que les membres soient titulaires de hauts degrés du Rite écossais ou du degré de chevalier templier du Rite d'York maçonnique. Cette mesure a été prise afin d'augmenter le nombre d'adhérents.

Les Shriners furent fondés à l'origine pour donner la possibilité à leurs membres de s'amuser – et aujourd'hui ils enchantent un public plus large encore.

VOIR ÉGALEMENT : Franc-maçonnerie, Franc-maçonnerie de Rite écossais.

SMITH, JOSEPH, ET LE LIVRE DE MORMON

L'une des pratiques religieuses citée dans *Le Symbole perdu* comme « effrayante quand elle est sortie de son contexte » est la pratique mormone du baptême des morts. Ce rite posthume est offert à ceux qui sont décédés sans baptême et il permet l'entrée dans le royaume de Dieu à ceux qui acceptent l'Évangile.

L'Église de Jésus-Christ des Saints du Dernier Jour – aussi appelée Église mormone – fut fondée par Joseph Smith, né à Sharon, dans le Vermont, en 1805. Sa famille déménagea plus tard pour l'État de New York. La ferme familiale ne leur permettant plus de subsister, les enfants durent travailler, ce qui les empêcha de fréquenter l'école.

Joseph eut une vision en 1827 : un ange appelé Moroni l'emmena sur une colline où une fouille avait exhumé des plaques d'or où était gravé le *Livre de Mormon* en « égyptien réformé ». Elles étaient accompagnées des deux pierres Urim et Thummin. Dans *Le Symbole perdu*, Robert Langdon explique que Joseph Smith utilisa ces pierres comme des « lunettes magiques » pour traduire les textes des plaques.

La méthode de transcription est expliquée par Richard van Wagoner et Steven Walker dans *Joseph Smith : le don de vision*, où ils citent Michael Morse, beau-frère de Smith, décrivant comment « Joseph plaça la pierre prophétique dans la couronne d'un chapeau, puis y mit son visage de façon à ce qu'il soit entièrement recouvert ».

Joseph Smith traduit donc ces plaques d'or, qui parlaient des familles juives exilées de Jérusalem et réfugiées en Amérique. Elles évoquaient aussi un groupe que Smith appela les Lamanites, ancêtres des Amérindiens, et indiquaient que

Jésus-Christ avait visité l'Amérique après la Résurrection avant de monter au ciel.

Un petit groupe de fidèles commença à soutenir ses idées. En 1830, sa traduction du *Livre de Mormon* fut achevée. Il trouva des gens disposés à témoigner de l'existence des plaques d'or dans l'ouvrage publié. Finalement, les plaques, ainsi qu'Urim et Thummin, furent rendues à l'ange Moroni qui les emporta avec lui. La publication du *Livre de Mormon* provoqua une tempête de protestations. D'autres, cependant, furent séduits par ces révélations et vinrent se faire baptiser.

Joseph était un orateur éloquent, convaincant et plein d'humour qui rassembla de nombreux fidèles. Contrairement aux prêches de l'époque où il était question de damnation et de feux de l'enfer, cette nouvelle forme de religion promettait non seulement une vie après la mort très confortable, mais aussi que les pécheurs ne subiraient pas un châtiment cruel et éternel.

Alors que grandissait une violente opposition contre Joseph Smith, nombre de ses disciples le suivirent dans l'Ouest pour trouver un refuge plus paisible. En 1839, ils fondèrent dans l'Illinois une ville appelée Nauvoo, dont Smith devint le maire. Quelques années plus tard, il fut assez ambitieux pour vouloir devenir Président des États-Unis.

L'élément le plus controversé de la doctrine de Joseph était le « mariage céleste » avec plusieurs femmes, dont beaucoup étaient déjà mariées. Ces mariages célestes étaient censés durer l'éternité et être supérieurs aux unions terrestres. Les Mormons sont fortement critiqués pour leur pratique de la polygamie. Il doit être noté que l'Église y a officiellement renoncé dès 1890 et excommunie les membres qui désobéissent. Il existe cependant des Mormons fondamentalistes, principalement aux États-Unis, au Canada et au Mexique, qui prétendent que la polygamie est une condition essentielle pour être admis au plus haut du paradis mormon.

En 1844, une imprimerie fut lancée par plusieurs des détracteurs de Smith, et en juin parut la première et unique édition du *Nauvoo Expositor*. Le journal ayant pour objectif de critiquer Smith, avec le conseil municipal, il ordonna donc la destruction de l'imprimerie. Le gouverneur de l'Illinois ordonna donc son arrestation pour avoir contrevenu au premier amendement, qui garantit la liberté d'expression et de la presse.

La police l'escorta, avec quelques fidèles, dont son frère aîné Hyrum, jusqu'à la prison, qu'ils surveillèrent de crainte qu'une foule d'opposants ne le menace. Cependant, des hommes déguisés attaquèrent la prison. Joseph avait une arme et il blessa certains de ses agresseurs. À cours de munitions, il voulut s'échapper par une fenêtre, mais fut abattu. Il termina sa vie terrestre à trente-huit ans.

L'Église des Saints du Dernier Jour survécut à la mort de Joseph Smith et reste une organisation puissante.

De 1847 à 1877, Brigham Young, fut le président de l'Église de Jésus-Christ des Saints du Dernier Jour. Il joua un rôle essentiel dans la fondation de Salt Lake City et fut le premier gouverneur de l'Utah. La célèbre université qui porte son nom appartient à l'Église mormone.

SMITHSONIAN INSTITUTION

Dans *Le Symbole perdu*, la Smithsonian Institution joue un rôle crucial : Peter Solomon en est le secrétaire, mais, plus important encore, Mal'akh, se faisant passer pour l'assistant de Solomon, leurre Langdon pour le mener à Washington DC.

La Smithsonian Institution est un institut de recherches et d'éducation administré par le gouvernement américain. Il est financé par l'argent public, qui s'ajoute aux dons privés, donations et profits dégagés par ses boutiques et publications. La Smithsonian Institution a pour but de préserver, étudier, exposer et interpréter des collections d'art, des spécimens, des archives et des documents, tandis que ses recherches visent à accroître et répandre la connaissance et soutenir des recherches originales en sciences, en art, en histoire et dans la culture.

Avec ses dix-neuf musées, ses neuf centres de recherches et son zoo national, la Smithsonian Institution est le complexe muséal le plus vaste du monde. Ses collections variées sont au nombre effarant de 136 millions de pièces. Lui sont affiliés 156 musées dans le monde, dont le musée d'Histoire américaine et amérindienne, le musée d'Art américain, la Portrait Gallery et le Smithsonian Institution Building. Les deux autres musées smithsoniens sont situés à New York, et le musée de l'Air et de l'Espace du centre Udvar-Hazy en Virginie. Tous les locaux de Washington sont ouverts au public.

La Smithsonian Institution fut fondée suite à la requête de James Smithson. Ce scientifique et minéralogiste britannique célébré, né en 1765 à Paris, est le fils illégitime de sir High Smithson, duc de Northumberland, et d'Elizabeth

Hungerford Keate Macie, une riche veuve, probable descendante d'Henry VII d'Angleterre. En 1782, James Macie, comme il se nommait alors, entra au Pembroke College d'Oxford, pour des études de chimie et de minéralogie, dont il obtint sa maîtrise en 1786. Un an plus tard, à vingt-deux ans, il devint le plus jeune membre élu à la Royal Society, académie de sciences londonnienne. James Smithson voyagea dans toute l'Europe pour chercher et classifier des minéraux et des cristaux. Il publia environ 27 articles scientifiques.

Avant de mourir en 1829 à Gênes, Smithson avait amassé une vaste fortune personnelle grâce à l'héritage de sa mère et à des investissements avisés, qu'il légua à son neveu et unique héritier, Henry James Hungerford. Dans son testament rédigé en 1826, il stipulait, si son neveu devait mourir sans héritier, légitime ou non, que ses biens soient « légués aux États-Unis d'Amérique, pour fonder à Washington, sous le nom de Smithsonian Institution, un établissement destiné à accroître et diffuser le savoir parmi les hommes ».

Si l'on songe que James Smithson n'avait jamais mis les pieds aux États-Unis et n'avait apparemment jamais été en relation avec l'un de ses habitants, cette dernière volonté paraît saugrenue. Pour certains commentateurs, elle lui fut dictée par son admiration pour l'esprit des États-Unis, ou pour damer le pion du strict code social qui régnait à l'époque en Grande-Bretagne et l'avait privé de son statut et de son titre en raison de son état de fils illégitime. Smithson semble avoir été un détracteur de la monarchie, ayant écrit en 1792 : « Puissent d'autres nations, à l'époque de leurs réformes, être assez sages pour se délester, en premier lieu, de ce méprisable embarras. »

À la mort d'Henry Hungerford en 1835, les biens de Smithson furent donc légués aux États-Unis. Curieusement, le débat fit rage pour savoir s'ils devaient être acceptés ou non, John C. Calhoun, sénateur de Caroline du Sud, déclara qu'il était « au-dessous de la dignité des États-Unis de recevoir des présents de cette espèce ». En 1836, le Congrès accepta le legs ; mais, en raison d'un procès contestant le testament à Londres, c'est seulement en 1838 que 11 caisses contenant 104 960 souverains d'or furent chargées à bord de l'USS *Mediator* et expédiées aux États-Unis, où ils furent fondus et frappés en monnaie pour une somme totale de 508 318 dollars.

Huit années de débats supplémentaires suivirent, concernant la forme que l'institution devrait prendre, son emplacement, son administration et son bâtiment, jusqu'à ce que la décision soit entérinée et que la Smithsonian Institution soit fondée le 10 août 1846.

Dessiné par James Renwicj Jr., le Smithsonian Institution Building de Jefferson Drive fut achevé en 1885 et comprenait une bibliothèque, un laboratoire de chimie, un d'histoire naturelle, des salles de conférence, un musée et une galerie d'art. Construit en grès rouge, le bâtiment est plus connu sous le nom de « Château » en raison de ses neuf tours et fortifications. Aujourd'hui, le Smithsonian Institution Building abrite les bureaux de l'administration et le centre d'information.

En tant qu'organisme, la Smithsonian Institution se divise en quatre domaines : science ; histoire, art et culture ; finance et administration ; entreprises smithsoniennes. La loi promulguée par le Congrès autorisant la fondation de la Smithsonian Institution stipulait qu'elle devait être administrée par un conseil de régents responsables de la supervision et de la gestion de l'institution pour le compte du gouvernement fédéral et d'endosser « les responsabilités des États-Unis comme membre du conseil d'administration de la fondation ».

Ce prestigieux Conseil de régents se compose de 17 membres, se réunissant quatre fois par an, composé du Juge suprême des États-Unis, du vice-président des États-Unis, de trois membres de la Chambre des Représentants, de trois du Sénat et de neuf citoyens. Le responsable exécutif de la Smithsonian Institution est le secrétaire, nommé par le conseil de régents. C'est grâce à la vision et à la ténacité du premier secrétaire de l'Institution, Joseph Henry, un distingué médecin, que la Smithsonian Institution s'est développée pour devenir l'organisation scientifique de recherches que nous connaissons aujourd'hui.

VOIR ÉGALEMENT : Royal Society, Invisible College.

SMSC – CENTRE DE SOUTIEN DU SMITHSONIAN MUSEUM/SMITHSONIAN MUSEUM SUPPORT CENTER

L'un des principaux théâtres de l'intrigue du *Symbole perdu* est un laboratoire caché au sein d'un vaste complexe de soutien des musées smithsonniens.

La Smithsonian Institution possède sans conteste la plus vaste collection du monde. En raison de sa taille immense et des lieux d'exposition publique relativement restreints, seule une infime portion de la collection peut être présentée au public. En outre, la Smithsonian Institution permet aux chercheurs d'accéder à des éléments de sa collection tout en assurant sa préservation pour les générations futures.

C'est dans cette optique que fut créé le SMSC, sous l'égide de Vince Wilcox, directeur de cette énorme structure depuis 1981. Wilcox passa plusieurs années à concevoir cet entrepôt sophistiqué. Inauguré en 1983 après deux années de travaux, le SMSC a été construit en utilisant les dernières avancées de la technologie muséale, ce qui en fait la zone de stockage idéale pour l'immense collection de la Smithsonian Institution.

Il se trouve à Suitland, dans le Maryland, juste aux abords de Washington, à environ 13 kilomètres du célèbre Mall. Il couvre une surface de presque 12 kilomètres carrés et offre un total de 40 412 mètres carrés d'espace de stockage. Il comprend de vastes bureaux et laboratoires et cinq « capsules » abritant la collection.

Chacune a la taille d'un terrain de football et une hauteur de près de neuf mètres. Elles sont pourvues d'une paroi extérieure isolante de 45 centimètres d'épaisseur et sont disposées en quinconce, permettant ainsi l'ajout de nouvelles capsules à la construction existante. L'espace administratif, les laboratoires et les capsules de stockage sont séparés par un corridor de six mètres de large, appelé la Rue.

Des dizaines de milliers d'armoires de stockage abritent plus de 54 millions de pièces de la collection, allant de totems de 13 mètres aux plantes et animaux microscopiques.

Les locaux sont protégés par un système de sécurité sophistiqué qui allie des équipements de détection et de surveillance d'avant-garde. En entrant, vous devez laisser le personnel fouiller tout ce que vous apportez avant de recevoir une autorisation d'accès. Les employés bénéficient de cartes magnétiques qui enregistrent les déplacements dans chaque zone spécifique.

Février 2010 verra l'achèvement de la rénovation complète de la capsule 3, dite aussi « capsule humide ». Elle contient des millions de spécimens biologiques conservés dans du formol et de l'alcool et protégés par plusieurs systèmes spécifiques, dont un réseau électrique protégé et des conduits d'évacuation au sol. La capsule 3 est le théâtre du meurtre de Trish Dunne dans *Le Symbole perdu*. Mal'akh l'y noie dans un réservoir d'alcool contenant un calamar géant.

La capsule 4 possède une section « haute », spécifiquement aménagée pour abriter les pièces les plus volumineuses de la collection, comme les totems, les bateaux ou les squelettes de grands mammifères.

Dans *Le Symbole perdu*, Katherine Solomon mène ses recherches de sciences noétiques au sein de la capsule 5. Notons au passage que rien ne porte à croire qu'une telle installation existe dans ces locaux, ni ailleurs dans le SMSC.

Il est important de garder à l'esprit que le SMSC n'a pas été créé dans l'idée d'organiser des expositions publiques. L'accès restreint permet de minimiser l'impact de la chaleur humaine, qui a provoqué des dégâts dans d'autres collections dans le monde. L'objectif principal du SMSC est la recherche sur la préservation de la collection du

Smithsonian. Un musée, par sa nature même, est un para-
doxe : en présentant ses pièces aux visiteurs, il les expose à
des dommages ou à une contamination. Le SMSC est là
pour protéger le plus possible la collection de dangers poten-
tiels et permettre au public de profiter des merveilles qu'elle
recèle.

VOIR ÉGALEMENT : Institut des Sciences noétiques, Smithsonian
Institution.

SYMBOLISME DES NOMBRES

Les nombres apparaissent abondamment dans *Le Symbole perdu*, que ce soit sous la forme de carrés magiques codant l'emplacement de salles sous le Capitole ou de dates historiques qui fournissent la clef de codes secrets.

Le nombre qui joue le rôle le plus significatif dans le roman est 33. Les exemples les plus évidents sont les références aux maçons du trente-troisième degré, grade le plus élevé de la franc-maçonnerie de Rite écossais. L'emblème de ce degré comporte un aigle à deux têtes, la devise « *Ordo Ab Chao* » (Du Chaos surgit l'Ordre), qui apparaît souvent dans *Le Symbole perdu*, et le nombre 33 inscrit dans une pyramide. C'est ce qui figure sur la bague de Peter Solomon.

Dans la franc-maçonnerie, le nombre 33 est en effet très particulier, et sa signification est débattue et discutée depuis longtemps. Manly P. Hall jeta un peu de lumière sur le sens des 33 degrés de la franc-maçonnerie dans *Les Enseignements secrets de tous les âges*. Le parallélisme qu'il fait entre Hiram, figure maçonnique centrale, et certains concepts du mysticisme hindou est tout simplement fascinant :

> « Il existe une similitude suffisante entre l'Hiram maçonnique et la *Kundalini* du mysticisme hindou pour étayer l'idée qu'Hiram puisse être considéré également comme un symbole du feu spirituel qui passe par le sixième ventricule de la colonne vertébrale. La science exacte de la régénération humaine est la clef perdue de la maçonnerie, car lorsque le feu spirituel est élevé jusqu'au trente-troisième degré, ou segment de la colonne vertébrale, et qu'il entre sous le dôme de la cavité crânienne, il passe dans le corps pituitaire

(Isis), où il invoque Râ (la glande pinéale) et exige le nom sacré. La maçonnerie opérative, dans le sens le plus plein du terme, exprime le processus par lequel est ouvert l'œil d'Horus. »

La colonne vertébrale humaine compte 33 segments. Dan Brown semble au courant de ce rapport entre les 33 degrés et notre anatomie, car Mal'akh porte dans le dos le tatouage d'un escalier dont chaque marche correspond à une vertèbre pour atteindre la base du crâne. Katherine Solomon dit à Robert Langdon, à la fin du *Symbole perdu*, que la colonne vertébrale est l'échelle de Jacob et que le crâne est le véritable temple.

Bien que la franc-maçonnerie de Rite écossais compte 33 degrés, dans les faits il y en a seulement 32 à atteindre, le trente-troisième étant honorifique. Remarquons qu'il y a 32 voies de sagesse dans l'Arbre de Vie de la kabbale, la branche mystique du judaïsme. Et 32 est également le nombre de fois qu'est mentionné le nom de Dieu dans le premier chapitre de la Genèse. L'individu qui parcourt les 32 voies de la sagesse atteint l'illumination, considérée comme la trente-troisième voie.

Langdon signale que le culte du nombre 33 trouve ses origines dans la Grèce antique. Le grand mathématicien Pythagore le décrivait comme le plus important de ceux qu'il appelait les « nombres maîtres » : 11, 22, 33 et 44. Nous reviendrons plus loin sur Pythagore et son obsession du symbolisme des nombres.

Notons que Jésus fut crucifié à trente-trois ans. Il commença son ministère à l'âge de trente ans et mourut trois ans plus tard en l'an 33 – si nous faisons commencer notre calendrier l'année de sa naissance. En outre, et plus important encore dans le contexte de la franc-maçonnerie, le Temple de Salomon à Jérusalem resta debout pendant trente-trois ans. Le roi David est censé avoir régné trente-trois ans sur Jérusalem. Sir Francis Bacon, auteur de *La*

Nouvelle Atlantide, utilisa un nombre secret codé qui était justement 33, valeur numérique de son nom selon la numérologie sacrée. Le nombre apparaît à maintes reprises dans les enseignements religieux, occultes et ésotériques à travers l'Histoire.

La Maison du Temple à Washington, lieu de la scène paroxystique entre Mal'akh et son père, est la demeure du Suprême Conseil ou, comme l'annonce une plaque à l'entrée :

> « Le Temple du Suprême Conseil du trente-troisième et dernier degré de la franc-maçonnerie de Rite écossais ancien et accepté pour la juridiction sud des États-Unis, érigé pour Dieu et dédié au service de l'humanité, *Salve Frater* ! »

Le bâtiment est entouré d'un péristyle de 33 colonnes, chacune de 10 mètres (33 pieds) de haut, la Chambre exécutive compte 33 chaises cérémoniales, le Suprême Conseil est composé de 33 membres.

Le Capitole a également des liens avec le nombre 33. William Henry et le Dr Mark Gray les décrivent dans *La Porte de la Liberté* :

> « La rotonde du Capitole est une vaste pièce circulaire située au centre du dôme de l'édifice au deuxième étage. D'un diamètre de 29 mètres, elle est le cœur symbolique et physique du Capitole des États-Unis. C'est son centre cérémonial. Après sa prestation de serment le 20 janvier 2009 sur le porche ouest, Barack Obama a gravi les 33 marches menant à la rotonde. »

Dans une première esquisse de *L'Apothéose de Washington*, Constantino Brumidi avait placé 33 jeunes filles autour de George Washington. Dans la deuxième, ils les remplaça par les 13 que nous voyons aujourd'hui, mais il peignit 33 étoiles au-dessus de leurs têtes.

Si nous poussons encore le symbolisme numérique, *Le Symbole perdu* est paru le 15 septembre 2009 aux États-Unis, soit le 15/09/09. L'addition de ces chiffres donne 33.

Dan Brown n'est pas le premier à nourrir une obsession pour les nombres et leur signification. La numérologie est une discipline ancienne dont l'histoire se perd dans la nuit des temps et reste étroitement liée à la divination. Pythagore lui-même disait que « le monde est bâti sur la puissance des nombres », et une grande partie de notre savoir numérologique provient des enseignements de ce grand mathématicien de l'Antiquité. Pythagore attribuait des significations à certains nombres et appliquait ce « code » aux noms de personnes et de dieux afin de tenter de deviner leur nature profonde. Pour expliquer cette complexe combinaison de science et de magie, il affirma : « Toutes les choses de l'univers ont un attribut numérique unique qui les décrit. » C'est là l'essence de la numérologie.

Les Hébreux conçurent un système numérologique incroyablement complexe connu sous le nom de gématrie, inspiré des travaux de Pythagore. Mais ils les poussèrent plus loin en appliquant les valeurs à des phrases entières, des prières et des portions du Talmud.

On peut étudier la gématrie pendant des années sans en appréhender tous les secrets. Un exemple de son fonctionnement et des différents sens qu'elle découvre est donné par Manly P. Hall dans *Les Enseignements secrets de tous les âges :*

« Tous les grands nombres peuvent être réduits à un des dix numéraux originaux et le 10 lui-même à 1. En conséquence, tout groupe de nombres résultant de la traduction de noms de divinités en leurs équivalents numériques trouve sa base dans l'un des dix premiers nombres. Avec ce système, où chaque chiffre est ajouté aux autres, 666 devient 6 + 6 + 6, soit 18, qui à son tour devient 1 + 8, soit 9. Selon l'Apocalypse, 144 000 seront sauvés. Ce nombre devient 1 + 4 + 4 + 0 + 0 + 0, c'est-à-dire 9, prouvant ainsi que la Bête de Babylone et le nombre de sauvés se réfère à l'homme lui-même, dont le symbole est 9. Ce système peut être utilisé avec succès autant en grec qu'en hébreu. »

Alors que la signification numérologique de nombres comme 33 est perdue pour la plupart d'entre nous, on trouve encore des échos de ce savoir encodé dans le monde moderne. Par exemple, concernant la croyance que Jésus est mort à trente-trois ans, alors qu'il est très peu probable qu'il ait eu cet âge, 33 devient un nombre encodé dans son histoire. Celui qui a conçu cette idée voulait que ce nombre soit transmis à travers les époques pour ne pas être oublié.

Il en est de même des rituels des francs-maçons. Les participants ne comprennent pas tous la portée du symbolisme des nombres utilisés, mais le processus assure que le degré de connaissance perdure et se transmet à travers les âges.

VOIR ÉGALEMENT : Manly P. Hall, Maison du Temple.

TEMPLE DE SALOMON

« N'y a-t-il personne pour sauver le fils de la veuve ? »

Ces mots figuraient encodés sur la jaquette de l'édition américaine du *Da Vinci Code* en 2003. C'est sur cette couverture que de nombreux lecteurs glanèrent des indices sur le contenu de ce qui allait devenir *Le Symbole perdu*.

La phrase elle-même est d'origine maçonnique et se réfère à une histoire allégorique qui joue un rôle de premier plan dans les rites et rituels des francs-maçons. Elle concerne Hiram Abiff, maître maçon et architecte en chef du légendaire Temple de Salomon de Jérusalem. Dans *Le Symbole perdu*, l'histoire du meurtre d'Hiram Abiff est rejouée avec un grand réalisme lors d'une cérémonie d'initiation maçonnique que Mal'akh a clandestinement filmée.

Hiram Abiff, semble-t-il, est le même personnage que le Hiram de la Bible, un maître forgeron employé par le roi Salomon à la construction du Temple. Le Hiram décrit dans Rois I (7 :13-14) est « le fils de la veuve » qui vient de Tyr. Il ne doit pas être confondu avec Hiram, roi de Tyr, qui est mentionné comme fournisseurs des matériaux pour la construction du Temple.

Le Temple de Salomon recèle une signification particulière pour les Francs-maçons, non seulement en raison de leur association avec Hiram Abiff, mais aussi à cause de certains éléments symboliques et mystérieux présentés dans le Temple. En 1801, l'érudit maçonnique, le révérend Dr George Oliver, expliqua la signification du Temple pour les maçons dans *Révélations d'un carré* :

> « La Société a adopté le Temple de Salomon comme symbole, parce que c'était la construction la plus stable

et la plus magnifique ayant jamais existé, que nous considérions ses fondations ou son aspect extérieur ; si bien que de toutes les sociétés que les hommes ont inventées, aucune ne fut jamais plus fermement unie ou mieux conçue que celle des maçons... Les édifices que les Francs-maçons construisent ne sont rien de plus que des vertus ou des vices qui doivent être érigés ou détruits ; et dans ce cas, seul le ciel occupe leur esprit, qui s'élève au-dessus du monde corrompu. Le Temple de Salomon dénote raison et intelligence. »

Le roi Salomon était le fils du légendaire roi David. David lui-même avait supplié Dieu de bâtir le premier temple, allant jusqu'à préparer le site sur le mont Moriah, mais Dieu lui en refusa l'honneur qui échut à son fils Salomon. Les principaux récits de la construction du Temple se trouvent dans l'Ancien Testament, dans les livres de Rois I-II.

Les proportions et la taille du temple original font constamment l'objet de débats, nombre des dimensions ayant une importance symbolique. À l'entrée est du Temple se dressaient les deux colonnes Boaz et Jachin ; aujourd'hui, dans chaque loge maçonnique, on trouve deux piliers appelés Boaz et Jachin pour rappeler à l'initié son lien avec le Temple de Salomon.

La légende prétend qu'Hiram Abiff fut assassiné par trois hommes qui tentaient de lui extorquer le mot de passe secret du maître maçon. Hiram refusa de le divulguer et le paya de sa vie. Pour les maçons, cette allégorie enseigne à l'initié l'importance du secret et la brièveté de l'existence. Selon l'auteur maçonnique Chris McClintock, le rituel d'intronisation d'un initié symbolise la manière dont Hiram fut tué. Le candidat a d'abord la gorge symboliquement tranchée avec une règle de maçon, pour rappeler le premier coup que reçut Hiram. Ensuite, il est frappé sur le sein gauche avec une lourde équerre maçonnique, comme procéda dans la légende le deuxième assaillant. Le dernier coup, fatal (métaphoriquement), est porté avec un maillet à la tête, là encore en rappel de la légende. C'est durant ce rituel qu'Hiram est appelé « le fils de la veuve ».

Dans le livre à paraître de Chris McClintock, *Le Soleil de Dieu*, plusieurs révélations étonnantes sont faites concernant non seulement les origines symboliques de tels rituels mais aussi l'identité cachée d'Hiram Abiff, ainsi que d'autres personnages participant au rituel maçonnique.

Dans le Saint des Saints du Temple de Salomon était placée l'Arche d'alliance. Ce récipient surnaturel contenait les deux tables que Moïse rapporta du mont Sinaï, gravées des Dix Commandements de Dieu. Détail intéressant, certaines loges maçonniques sont elles aussi dotées d'une réplique du Saint des Saints contenant une copie de l'Arche d'alliance. Un bel exemple est visible dans la salle du chapitre de la loge (numéro 22) d'Alexandria, sur le site du Mémorial maçonnique de George Washington. Elle est connue comme la plus belle reproduction jamais exécutée dans un but maçonnique.

Aujourd'hui, le site du Temple de Salomon est au cœur de machinations politiques à l'échelle mondiale. Le mont du Temple, comme on l'appelle désormais, est sous le contrôle d'un conseil musulman, les juifs orthodoxes ayant l'interdiction de pénétrer sur le site. Pour certains fondamentalistes chrétiens, c'est sur le mont du Temple que sera annoncé le retour du Messie et construit le mythique Troisième Temple.

La franc-maçonnerie voit le Temple de Salomon comme un lieu mobile : un temple au Grand Architecte de l'Univers qui peut être reproduit dans des lieux multiples, un exemple du principe hermétique « Ainsi en haut, ainsi en bas », une re-création de la maison de Dieu sur Terre. Le Temple de Salomon fut le premier temple de Dieu – conçu comme un microcosme au sein d'un univers plus vaste.

VOIR ÉGALEMENT : Boaz et Jachin, Franc-maçonnerie.

UN SEUL VRAI DIEU

Cette phrase se trouve sur la pyramide de granit que Robert Langdon situe dans la Salle SBB13 profondément enfouie sous le Capitole. Après avoir décodé les symboles découverts sur le flanc de la pyramide, il obtient la phrase : « *Jeova Sanctus Unus* ».

Katherine Solomon précise que c'est le nom latin de Dieu tel qu'il apparaît dans la Torah : Jeova, Jeovah, Yahvé. « *Jeova Sanctus Unus* » signifie littéralement « Un seul vrai Dieu ».

Selon la Bible juive, Yahvé est en effet le seul vrai Dieu, le Dieu qui a guidé Moïse hors d'Égypte et qui a transmis à l'humanité les Dix Commandements. Nous voyons ce moment précis où Dieu se révèle dans l'Exode (20 :1-3) : « Alors Dieu prononça toutes ces paroles, en disant : Je suis l'Éternel, ton Dieu, qui t'ai fait sortir du pays d'Égypte, de la maison de servitude. Tu n'auras pas d'autres dieux devant ma face. »

Le terme Yahvé est la transcription de l'original hébreu, qui se composait de quatre lettres : « YHWH ». Ce terme est également connu sous le nom de tétragramme, littéralement « composé de quatre lettres », en grec ou nom ineffable. Comme Yahvé est le vrai nom de Dieu, les juifs orthodoxes le considèrent trop sacré pour être prononcé.

Si nous nous rappelons les Dix Commandements, nous trouvons : « Tu ne prendras point le nom de l'Éternel, ton Dieu, en vain ; car l'Éternel ne laissera point impuni celui qui prendra son nom en vain » (Exode 20 :7). C'est pourquoi les juifs orthodoxes ne prononcent jamais ce nom. Quand le Temple de Salomon se dressait à Jérusalem, le nom était prononcé par le grand prêtre le jour de Kippour (le grand pardon), mais depuis la destruction du Temple à l'époque romaine, le terme n'a plus été prononcé. On pense que la prononciation exacte s'est perdue avec le temps. Dans l'usage courant, le mot « Seigneur » est utilisé à la place de « YHWH ».

Le concept d'« Un seul vrai Dieu » est connu sous le nom de monothéisme. Les religions abrahamiques (judaïsme, christianisme et islam) sont monothéistes, mais les racines du monothéisme remontent bien plus loin. Le zoroastrisme, apparu en Perse durant le premier millénaire avant J.-C. se fonde sur la croyance en un dieu unique, Ahouramazda. Le zoroastrisme eut une influence sur la formation du judaïsme, qui façonna à son tour le christianisme.

La véritable époque du zoroastrisme n'est pas certaine, et elle a peut-être été précédée par une autre religion monothéiste, celle d'Akhenaton dans l'Égypte ancienne. Sous ce pharaon, les Égyptiens adorèrent Aton, le disque solaire. L'atonisme fut de courte durée et s'éteignit vers 1335 avant J.-C. avec son fondateur, le souverain Amenhotep IV, qui avait adopté le nom d'Akhenaton. Cependant, nous possédons encore des textes des croyances de l'atonisme et l'un d'eux, le « Grand Hymne à Aton » a été retrouvé à Amarna, cité qu'Akhenaton construisit en l'honneur de son dieu :

« Combien nombreuses sont tes œuvres
mystérieuses à nos yeux !
Seul Dieu, toi qui n'as pas de semblable,
Tu as créé la terre selon ton cœur, alors que tu étais seul... »
(Traduction de Pierre Gilbert. A. Eggebrecht, *L'Égypte ancienne*, p. 238)

Bien que cet hymne ait une étonnante ressemblance avec le psaume 104, rien ne prouve que l'« Hymne à Aton » en ait été l'inspiration. Cependant, ce psaume est intrigant en ce qu'il s'ouvre en revêtant Dieu des caractéristiques que l'on attribue au soleil, ce qui renforce l'idée qu'il pourrait être en partie fondé sur le « Grand Hymne à Aton » :

« Mon âme, bénis l'Éternel ! Éternel, mon Dieu, tu es infiniment grand ! Tu es revêtu d'éclat et de magnificence ! Il s'enveloppe de lumière comme d'un manteau ; Il étend les cieux comme un pavillon. Il forme avec les eaux le faîte de sa demeure ; Il prend les nuées pour son char, Il s'avance sur les ailes du vent. Il fait des vents ses messagers, des flammes de feu ses serviteurs. »

Les experts débattent encore pour savoir si le « Grand Hymne à Aton » est vraiment la plus ancienne référence au culte d'un seul vrai dieu, mais une chose est claire : le monothéisme, la croyance en un dieu unique est un concept antique.

Dans l'imagerie symbolique maçonnique, le concept d'un seul vrai dieu est représenté par le titre Grand Architecte de l'Univers.

Dans *Le Symbole perdu*, l'expression « un seul vrai Dieu » possède un autre niveau de signification. Langdon révèle que « *Jeova Sanctus Unus* » était également le pseudonyme du célèbre savant Isaac Newton. Il explique que le nom de Newton en latin était Isaacus Neutonnus et que c'était un anagramme de la phrase « *Jeova Sanctus Unus* », le I étant en latin équivalent au J.

Il est exact que Newton signa tous ses écrits alchimiques de l'expression « *Jeova Sanctus Unus* ». Durant sa vie, il accumula des écrits considérables et semble avoir passé une grande partie de ses dernières années à étudier la Bible elle-même, convaincu qu'elle recelait un savoir sacré. John Maynard Keynes, qui rassembla une grande partie des documents de Newton, prétendait – après avoir tout lu – que le savant était convaincu que « l'univers est un cryptogramme créé par le Tout-Puissant ».

VOIR ÉGALEMENT : Grand Architecte de l'Univers, Isaac Newton.

WASHINGTON

Washington trône sur les rives du Potomac comme un diamant scintillant dans l'écrin des collines de Virginie et du Maryland. Un diamant en effet, car le District de Columbia fut à l'origine tracé sous la forme d'un carré de 100 miles (160 kilomètres) de côté, chaque angle correspondant à un point cardinal.

L'histoire de la ville reflète celle des États-Unis d'Amérique, s'élevant majestueusement des flammes et des troubles de la guerre d'Indépendance. Le Président George Washington lui-même établit le plan de la zone qui devait devenir la nouvelle cité de Washington.

Le Symbole perdu se déroule parmi ses rues et ses monuments. La ville est le théâtre d'un drame de douze heures.

En 1790 fut promulgué le Residence Act, réglant la question de l'emplacement du nouveau siège du gouvernement. Washington dépêcha sur les lieux le géomètre Andrew Ellicott, accompagné d'une équipe et d'un personnage très intéressant du nom de Benjamin Banneker. C'était le fils d'un esclave affranchi très versé en astronomie. Banneker et Ellicott allaient devenir des acteurs importants de la naissance de la ville nouvelle. La zone de 260 kilomètres carrés qu'ils définirent fut jalonnée tous les 1 600 mètres de poteaux dont certains sont encore en place aujourd'hui. En 1791, la nouvelle ville était prête à être construite.

George Washington employa l'architecte et géomètre Pierres Charles L'Enfant, et lui demanda de dessiner les plans de la future ville. Cependant, comme nous l'avons vu dans l'article correspondant, la mission de L'Enfant fut de courte durée et la ville que nous voyons aujourd'hui n'est que partiellement son œuvre – le reste étant de la main d'Ellicott ; celui-ci acheva les plans quand L'Enfant fut démis de ses fonctions.

Dans *Le Symbole perdu*, Robert Langdon, en spécialiste des symboles, mentionne à ses étudiants que le plan de Washington est jalonné de cartes de constellations et de signes astrologiques. En fait, Langdon prétend que la capitale américaine possède plus d'éléments symboliques que n'importe quelle autre ville au monde. Faut-il le croire ?

Selon l'auteur David Ovason, on peut trouver une vingtaine de constellations complètes au sein de Washington. Ovason explique dans son livre novateur, *L'Architecture secrète de notre capitale*, que non seulement ces constellations existent dans le tissu architectural de la ville, mais encore que certaines inaugurations de bâtiments et cérémonies de pose de première pierre eurent lieu à des dates auspicieuses au point de vue astrologique. Selon sa théorie, ces alignements astrologiques furent choisis et exécutés par d'importants francs-maçons responsables de l'urbanisation.

Des adeptes de la théorie du complot prétendent que le tracé des rues de Washington dissimule une signification symbolique plus profonde. Là encore, des francs-maçons en seraient responsables. Un prétendu symbole « satanique » apparaît sur une carte et sur les images satellites au nord de la Maison-Blanche : une forme ressemblant à un pentagramme inversé dont la pointe est dirigée vers la Maison-Blanche elle-même. Cependant, cette théorie pose un petit problème : à l'intersection de Rhode Island Avenue et de Connecticut Avenue, la première s'arrête, il manque donc au pentagramme sa pointe ouest.

Certains prétendent voir dans le plan une configuration représentant un compas maçonnique formé par Pennsylvania Avenue s'étendant vers le nord-ouest à partir du Capitole et Maryland Avenue vers le sud-ouest. Cependant, comme pour le pentagramme cité ci-dessus, Maryland Avenue n'étant pas assez longue, le prétendu compas a un côté plus court que l'autre.

Aux franges de la théorie du complot, certains chercheurs décèlent même la silhouette d'une chouette dans les jardins et les terrains du Capitole. Ils y voient une représentation de Moloch, le redoutable ange déchu du *Paradis perdu*. La chouette, prétendent-ils, figure également sur le billet d'un dollar.

David Ovason note que la zone du Triangle fédéral, comme on l'appelle désormais, formée par la 15ᵉ Rue, Constitution Avenue et Pennsylvania Avenue, est hautement symbolique :

« C'est presque comme si L'Enfant avait dessiné sur son parchemin encore vierge l'équerre maçonnique comme symbole de l'esprit de George Washington et consacré ses trois points au fondateur de la nation. Sur le premier plan de la ville, ces trois points formaient un triangle rectangle, à angle droit du monument, l'hypoténuse suivant Pennsylvania Avenue et reliant la Maison-Blanche et le Capitole. Le côté le plus long du triangle suit le centre du Mall. »

Il poursuit ainsi :

« Le triangle de L'Enfant est gravé dans le sol, tout comme les trois maçons dessinent un triangle avec leurs chaussures quand ils se réunissent pour faire la Royale Arche ».

Selon la théorie d'Ovason, le Triangle fédéral est une représentation terrestre du triangle céleste des principales étoiles qui forment la constellation de la Vierge : Arcturus, Regulus et Spica. Il s'explique :

« Ce triangle d'étoiles semble refléter le triangle central du plan de Washington DC. Les étoiles du Triangle

de la Vierge correspondent à la triade que L'Enfant établit comme suit :
• Arcturus avec la Maison-Blanche,
• Regulus avec le Capitole,
• Spica avec le Washington Monument. »

Nous l'avons dit plus haut, Benjamin Banneker faisait partie de l'équipe d'Andrew Ellicott. Comme Banneker rédigea par la suite des almanachs et des articles d'astronomie, c'est vers lui qu'on se tourne naturellement quand on cherche qui aurait pu influencer le tracé de la ville.

Il semble que Washington soit une ville à la fois sacrée et symbolique. Le premier plan de Pierre L'Enfant recèle une signification profondément ésotérique. Il fut sans doute inspiré par le plan de sa ville natale, Paris, avec ses boulevards et son axe central. Dans *La Géométrie sacrée de Washington*, Nicholas R. Mann écrit :

« Le défi est de trouver la volonté et l'imagination pour restaurer et étendre la vision originale. Pourtant, aujourd'hui, qui est aussi visionnaire que Pierre L'Enfant au printemps de 1791, lorsqu'il imagina Washington en relation avec "l'axe céleste" et entreprit de tracer sur le sol américain un dessin géométrique qui représenterait parfaitement le principe révolutionnaire d'une nouvelle nation ? La cité dont rêva L'Enfant, celle qu'il dessina et à laquelle il rêva avec passion, devait surpasser tout ce que quiconque imaginait à l'époque – y compris la vision de George Washington. »

VOIR ÉGALEMENT : Pierre L'Enfant, George Washington.

WASHINGTON MONUMENT

D'une hauteur de 555 pieds (170 mètres), cet imposant monument est le plus haut de la ville. D'ailleurs, c'est le bâtiment maçonnique le plus haut du monde et le plus grand obélisque. À son achèvement, il était le plus élevé du monde et le resta jusqu'à la construction de la tour Eiffel en 1889.

Sur la tranche de la jaquette de l'édition américaine du *Symbole perdu*, le Washington Monument apparaît par un trou de serrure. C'est un indice de révélations faites dans le livre : c'est sous cette imposante tour que doit être découvert le symbole perdu.

La construction de cet édifice dessiné par l'architecte Robert Mills commença en 1848, et la première pierre fut posée le 4 juillet 1848. James K. Polk, maçon et onzième Président des États-Unis, en fut chargé en présence de quelque 20 000 personnes. Polk avait également officié à la pose de la première pierre du Smithsonian en 1847.

Le monument fut achevé en 1884 ; cependant, pendant presque vingt-cinq ans, il était resté en chantier durant la guerre de Sécession, à une hauteur de 45 mètres, alors que les alentours servaient de terrain d'entraînement pour l'Armée de l'Union. Mark Twain fit remarquer à l'époque qu'il avait « l'air d'une cheminée démesurée ».

En 1876, le lieutenant colonel Thomas L. Casey, du corps des ingénieurs de l'armée américaine, fut nommé géomètre du site. Il s'acquitta de sa tâche à merveille. Le fait que le monument non seulement se dresse sur un sol détrempé mais encore n'en ait pas souffert avec les années rend hommage aux compétences de l'ingénieur.

Le marbre utilisé pour la construction provenait à l'origine du Maryland, mais, les carrières étant épuisées après la guerre, il fut extrait par la suite du Massachusetts. Une subtile nuance dans la maçonnerie révèle l'endroit de la reprise des travaux.

Le Congrès avait au départ voté en 1783 l'édification d'une statue de George Washington à cheval, et un site avait été arrêté. Mais en 1800, le projet avait été remplacé par un mausolée inspiré de l'une des Sept Merveilles du monde antique (le mausolée d'Halicarnasse, dans la Turquie actuelle) et destiné à être construit en granit et en marbre américains. Le projet alla jusqu'à la pose de la première pierre par le Président Thomas Jefferson en 1804, mais celle-ci s'enfonça dans le sol marécageux. Les fonds se tarirent et le projet resta longtemps en suspens.

Bien que l'idée de mausolée ne fût pas reprise pour le Washington Monument, elle refit surface de nombreuses années plus tard avec la construction de la Maison du Temple, siège de la Juridiction sud de la franc-maçonnerie de Rite écossais à Washington.

La Washington National Monument Society, fondée en 1833, relança le projet de mémorial et organisa un concours pour le dessin final. Robert Mills, qui avait conçu le précédent monument à Washington de Baltimore, le remporta. Son dessin original était une colonne néo-classique d'environ 182 mètres de haut, entourée à la base d'un péristyle qui aurait soutenu un chariot et des chevaux. Quand les travaux du monument reprirent en 1876, ce projet fut abandonné en faveur de l'obélisque de style égyptien que nous voyons aujourd'hui.

Le projet de Mills fut à nouveau modifié par George Perkins Marsh, mieux connu comme le premier environnementaliste américain et représentant des États-Unis en Italie, de 1861 à sa mort en 1882. Alors qu'il était en Italie, Marsh entreprit l'étude des nombreux obélisques égyptiens de Rome (il y en a plus à Rome qu'en Égypte) et alla jusqu'à se rendre en Égypte pour approfondir ses recherches.

Il fut en mesure de déterminer que les obélisques égyptiens étaient construits selon certaines proportions fixes. Il calcula que leur hauteur était dix fois supérieure à leur base, que les parois devaient converger à vingt fois la mesure de la base ; que les angles du pyramidion déviaient rarement de 73 degrés ; que la hauteur du pyramidion était égale à la base ; et que l'obélisque s'inclinait d'environ deux centimètres par mètre. À la suite de ses recherches, il déclara que la hauteur du monument devait passer de 600 à 555 pieds (de 182 mètres à 170 mètres).

« Il faut enlever des plans de Mills tout ce qui est meringue », déclara-t-il. C'est grâce à son influence que nous voyons aujourd'hui cet élégant édifice à Washington.

Devant à l'origine se dresser au sud de la Maison-Blanche et à l'ouest du Capitole, le monument fut déplacé sur son site actuel à cause du terrain inégal et humide du site original. Aujourd'hui, une petite borne de granit indique le premier site, en mémoire de la Jefferson Pier, qui marque le deuxième méridien des États-Unis. Cette borne se trouve à environ 120 mètres à l'angle ouest-nord-ouest du monument.

L'un des faits les plus intéressants le concernant est que des blocs de pierre, la plupart gravés d'inscriptions, furent offerts pour sa construction de tous les États-Unis et du monde entier. Casey réussit à incorporer la plupart de ces pierres à l'intérieur de la tour, et l'une d'elles en particulier fit polémique. Au début des années 1850, le pape Pie IX fit don d'un bloc de marbre ; cependant, il fut volé en 1854 par des membres du Parti américain anti-catholique nativiste, surnommé à l'époque « les Ignorants », qui le jetèrent dans le Potomac.

Le 22 février 1885, un millier de personnes assistèrent à la cérémonie d'inauguration – date auspicieuse, jour de l'anniversaire de George Washington. Thomas L. Casey, l'ingénieur militaire auquel on doit la construction du monument, fut l'un des orateurs ce jour-là, avec le Président Chester Arthur.

Quand le monument fut ouvert pour la première fois au public en 1888, l'ascenseur central fut jugé dangereux pour les femmes et les enfants, qui durent gravir les 897 marches pour gagner le sommet et admirer la vue. Cet ascenseur original à vapeur mettait vingt minutes à accomplir l'ascension.

Dans *Le Symbole perdu*, on attribue au Washington Monument une signification symbolique maçonnique et le dénouement de l'intrigue a lieu à cet endroit. Mais quels liens maçonniques possède-t-il ?

Nous avons la certitude que Robert Mills était franc-maçon, comme la plupart des membres de la Washington National Monument Society. Comme nous l'avons déjà dit, le Président Polk, qui posa la première pierre, était un franc-maçon et la cérémonie fut présidée par Benjamin B. French, grand maître de la Loge du District de Columbia, revêtu du tablier et du collier qui avaient appartenu à George Washington lui-même et qu'il porta lors de la pose de la première pierre du Capitole.

Lors de la cérémonie équivalente du Washington Monument, un ensemble d'objets intéressants furent enfouis dans les fondations. Dan Brown fait allusion à l'un d'eux dans *Le Symbole perdu* : il s'agit de la Sainte Bible. Avec elle, se trouvent également un exemplaire de la Constitution, un de la Déclaration d'indépendance, divers plans et esquisses du monument, un catalogue de la bibliothèque du Congrès, une collection de pièces américaines allant du *half-dime* (5 cents) à l'aigle (1 dollar), un drapeau américain et une cotte d'armes de la famille Washington.

Selon David Ovason, « dans le plan original, au sommet de l'obélisque, devait se trouver une énorme étoile à cinq branches ». On a dit que celle-ci, comme celles qui figurent sur le drapeau américain, sont un symbole maçonnique représentant Sirius.

Le capuchon du pyramidion, un morceau d'aluminium pur de 100 onces (2,8 kilos) fut mis en place et consacré lors d'une cérémonie maçonnique le 6 décembre 1884. Le pyramidion lui-même possède 13 degrés, imitant la pyramide inachevée du Grand Sceau que l'on peut voir sur le billet d'un dollar.

Cependant, l'idée que le Washington Monument fut entièrement maçonnique dans son exécution pose problème. Bien que Mills ait été franc-maçon, son plan original fut remplacé par la révision de George Perkins Marsh et Thomas L. Casey, et ni l'un ni l'autre n'auraient été assurément membres d'une loge. Ovason prétend certes que Casey faisait partie de l'Ordre, mais il n'en fournit aucune preuve.

Cependant, lorsque nous étudions les dimensions et les proportions du monument, il devient tout à fait clair que le symbolisme numérique joue un rôle important sur ce site. Dans *La Géométrie sacrée de Washington*, Nicholas R. Mann écrit :

« Il semble fort probable que la décision de bâtir un monument de 555 pieds et 5 pouces de hauteur fut influencée par une ou plusieurs branches de la franc-maçonnerie qui existaient dans la ville à l'époque. Ces hommes devaient avoir en tête un symbolisme spécifique lié au chiffre 5. La raison pour laquelle l'angle précis du pentacle à cinq pointes ou du pentalpha, 72 degrés, ne fut pas utilisé pour le pyramidion semble dès lors présenter un mystère.

Pourtant, si l'on considère les dimensions du monument en pouces, nous pouvons le résoudre. La hauteur totale de l'obélisque en pouces est de 66665,125, que l'on peut arrondir à 6666. La hauteur du pyramidion est de 660 pouces. Les côtés de la base mesurent 661,5 pouces. Ensuite, il convient de considérer l'angle de la pente des quatre coins de la base jusqu'au sommet du pyramidion. Il est d'exactement 66 degrés et 6 secondes, ce qui révèle le nombre caché 666. »

Le symbolisme numérique inhérent au monument semble privilégier les chiffres 5 et 6, tous deux d'une grande importance dans la tradition maçonnique et dans le monde antique.

Dans *Le Symbole perdu*, il est révélé que sur la face est du capuchon en aluminium figure la phrase en latin « *Laus Deo* », qui signifie « Louange à Dieu ». C'est tout à fait exact, et les quatre faces portent respectivement les inscriptions :

Face Nord
Comité de pose du capuchon
Chester A. Arthur
W.W. Corcoran, président
M.E. Bell
Edward Clark
John Newton
En date du 2 août 1876

Face Ouest
Première pierre posée sur les fondations
4 juillet 1848
Première pierre posée à 152 pieds
7 août 1880
Capuchon posé le 6 décembre 1884

Face Sud
Ingénieur-chef et architecte,
Thos. Lincoln Casey,
Colonel, corps des ingénieurs
Assistants :
George W. Davis,
Capitaine, 14e Infanterie

Bernard R. Green,
Ingénieur civil
Maître mécanicien,
P.H. McLaughlin

Face Est
Laus Deo

Une controverse a récemment surgi autour de la décision du service des Parcs nationaux d'exposer une réplique du capuchon en aluminium du monument au centre de visites. L'original était inaccessible avec ses 170 mètres de haut. Mais la réplique exposée étant placée contre un mur, la face portant les mots « *Laus Deo* » était invisible. Sur le cartel, la référence à la face est manquait également en 2007, alors qu'elle déclarait jusque-là : « Le capuchon portait la phrase "*Laus Deo*" (Louange à Dieu). »

Ceux qui virent là une dissimulation intentionnelle de cette mention religieuse se constituèrent en groupe de pression pour contacter le service des Parcs nationaux et la campagne fut couverte par les médias. Devant ces protestations, le capuchon fut tourné, de manière à ce que l'inscription devienne visible, et le cartel modifié en conséquence.

Le Washington Monument représente aujourd'hui un symbole permanent et durable d'endurance face à l'adversité. Son message, comme un éclair venu du Ciel, est imprimé de manière indélébile à Washington DC et il domine la ville comme un hommage au premier dirigeant d'une nation naissante. Il a résisté durant des époques d'agitation et de troubles, et conduit le Président Herbert Hoover à déclarer à son propos, au cœur de la crise de 1929 : « C'est apparemment la seule chose stable dans mon administration. »

VOIR ÉGALEMENT : Billet d'un dollar, Franc-maçonnerie, Maison du Temple.

WASHINGTON, GEORGE

L'image de George Washington portant la tenue d'apparat maçonnique et posant la première pierre du Capitole n'est peut-être pas la première qui vienne à l'esprit. Cependant, elle est significative dans les pages du *Symbole perdu*, où sont étudiés les liens entre le plan et l'architecture de la capitale des États-Unis et son premier président.

En février 1732, George Washington naquit dans une riche famille de planteurs de Virginie dont les ancêtres étaient originaires d'Angleterre. Son père mourut alors qu'il n'avait que onze ans ; une grande partie de ses années de formation se passa donc auprès de parents, mais la famille Fairfax, des voisins, y joua aussi un rôle. Lord Fairfax, le seul pair résident anglais de l'Amérique coloniale, l'envoya avec un groupe d'hommes mesurer l'étendue de ses terres dans la vallée de Shenandoah, ce qu'apprécia beaucoup le jeune George. En 1749, âgé de dix-sept ans, il fut nommé géomètre du comté de Culpeper.

Washington loua, avant d'en hériter, une belle propriété du nom de Mount Vernon à son demi-frère aîné Lawrence, qui souffrait de tuberculose et mourut en 1752. L'unique voyage de Washington hors d'Amérique fut une visite en 1751 à la Barbade avec Lawrence dans l'espoir d'améliorer son état.

Il devint officier de la Milice de Virginie en 1752 à l'âge de vingt ans et joua un rôle dans la guerre entre Français et Indiens de 1754 à 1763, période durant laquelle le gouverneur de Virginie, Robert Dinwiddie, lui donna pour mission de soutenir les intérêts des Anglais. En 1755, il fut aide de camp du général Edward Braddock durant sa marche sur Fort Duquesne. Bien que détenant le titre honoraire de colonel, Washington n'appréciait guère la manière dont les Anglais traitaient les officiers coloniaux comme lui, qui étaient automatiquement subordonnés à tout officier de même rang missionné par le roi.

Le général ayant été tué par les Français quand les forces anglaises atteignirent la rivière Monongahela, Washington fut forcé de le remplacer. Il se tira courageusement de cette situation et fut remarqué pour sa bravoure. En reconnaissance, il fut nommé commandant de toutes les troupes de Virginie. Parvenu au rang honoraire de brigadier général, Washington quitta l'armée en 1758.

Outre la gestion de ses propriétés de plus en plus vastes, Washington siégea à la chambre de Williamsburg, et pendant des années il ne montra aucune opposition à la manière dont son pays était gouverné. Puis, en 1765, le Parlement britannique adopta le Stamp Act, destiné à couvrir le coût de l'envoi de troupes en Amérique du Nord pour défendre les colons. Privés de représentation au Parlement, les colons furent indignés par ce nouvel impôt. De violentes protestations s'élevèrent.

Entre-temps, l'attitude de Washington envers les intérêts anglais en Amérique du Nord avait commencé à se durcir. Il fit remarquer que le Parlement britannique n'avait « pas plus le droit de mettre la main dans ma poche sans mon consentement que je ne l'ai de mettre la main dans la vôtre ».

En 1774, il signa les Résolutions Fairfax en Virginie : elles appelaient à l'établissement d'un Congrès continental qui permettrait aux colonies de résister collectivement aux actions du Parlement britannique. Il fut élu parmi les représentants de Virginie au 1er Congrès continental. Puis, quinze ans après son premier commandement, il fut rappelé, cette fois comme commandant en chef de l'armée coloniale, à Boston après les batailles de Lexington et de Concord. Le siège qu'il entreprit avec fermeté obligea les Anglais à évacuer la ville en mars 1776.

Durant les cinq années suivantes, malgré quelques revers, les forces des patriotes américains remportèrent un succès sur les Anglais et leurs alliés dans les colonies. Ce fut l'énergie, le bon sens de Washington et la confiance que lui portait l'armée qui contribuèrent à la victoire. La guerre se termina quand le général Cornwallis fut forcé d'abandonner Yorktown en octobre 1781. Deux ans plus tard, Washington démissionna et retourna dans sa propriété de Mount Vernon.

Alors que le processus politique se dirigeait vers un gouvernement fédéral, Washington alla à Philadelphie pour participer à la préparation d'une constitution adaptée à l'union. George Washington fut unanimement accueilli comme président de la Convention constitutionnelle de Philadelphie en 1787. Les représentants élargirent l'étendue de sa mission première, qui consistait à réviser les Articles de Confédération alors en vigueur. Ce travail donna naissance à la Constitution des États-Unis et, deux ans plus tard, en 1789, Washington fut élu Président des États-Unis d'Amérique lors d'un autre vote unanime. Son investiture eut lieu à New York, capitale de l'époque.

En 1792, il eut l'honneur d'être réélu. Il aurait pu solliciter un troisième mandat, mais il se retira à la fin du second, créant un précédent aujourd'hui entériné par une loi. Dans son discours d'adieu au peuple, il donna le conseil suivant : « Je tiens comme maxime, applicable autant aux affaires publiques que privées, que l'honnêteté est la meilleure politique. »

La capitale des États-Unis n'étant pas encore fixée pendant les premières années de la République, le Congrès siégea en des lieux divers, dont Philadelphie puis New York. Le choix de l'emplacement de la capitale était difficile, ces deux grandes villes étant rivales. En outre, les États du Sud ne voulaient pas que la capitale se trouve dans le nord du pays. On choisit donc un lieu de compromis au bord du

Potomac. Dans son journal du 12 juillet 1790, Washington écrivit : « Deux lois m'ont été présentées par le comité conjoint du Congrès. L'une pour établir le siège temporaire et permanent du gouvernement des États-Unis. »

Cette loi était le Residence Act. La taille du nouveau territoire fut fixée à 100 miles carrés (259 kilomètres carrés) et le Residence Acte spécifia que le Congrès se réunirait avant 1800 dans la nouvelle cité. Le président avait reçu autorité pour choisir le site exact et nommer un géomètre.

George Washington nomma à ce poste Andrew Ellicott et choisit dès 1791 le site du District de Columbia. Pierre L'Enfant, un architecte français, commença à dessiner les plans de la ville, avec la collaboration de Washington et de Thomas Jefferson. En l'honneur de Washington, la nouvelle ville fut baptisée « Cité de Washington dans le Territoire de Columbia ».

George Washington est parfois qualifié de « Père de la Nation ». Ce fut également le cas pour la plupart des empereurs de Rome, qui recevaient ce titre du Sénat. Les initiales P. P. (*Pater Patriæ*) étaient fièrement frappées sur leur monnaie. On peut voir au Sénat un portrait de Washington par l'artiste Rembrandt Peale, intitulé *Patriæ Pater*, où Washington est entouré d'une guirlande de feuilles de chênes et surmonté de la tête de Jupiter.

Rome se qualifiait de république, mais celle des États-Unis s'enorgueillit d'être une véritable démocratie, gouvernée non par l'oppression mais par l'accord des parties. Certains Américains, voyant la grande popularité de Washington, cherchèrent à rétablir la monarchie. Le colonel Lewis Nicola écrivit à Washington en lui proposant de devenir roi et reçut la réponse catégorique : « Soyez assuré, monsieur, rien dans le cours de la guerre ne m'a causé plus pénible impression que d'apprendre l'existence dans l'armée de telles idées dont vous me faites part, et que je me dois d'abhorrer et de condamner avec sévérité. »

En 1759, Washington avait épousé Martha Dandridge (1732-1802), veuve du colonel Daniel Custis et mère de deux jeunes enfants. George Washington les adopta tous les deux. Washington se comportait avec simplicité et de nombreuses anecdotes le concernant indiquent qu'il était disposé à accomplir des tâches manuelles si c'était nécessaire. Sa richesse et sa position sociale ne l'avaient pas rendu arrogant, et il aimait jouer aux cartes, au billard et pratiquer les autres sports appréciés des gentilshommes de sa classe et de son époque.

Cependant il fut un homme de son temps en ce sens qu'il possédait des esclaves. Il s'assurait certes qu'ils recevaient les services d'un médecin en cas de nécessité et qu'ils étaient bien nourris et vêtus – lui-même portait ce qui se faisait de mieux et commandait à des tailleurs de Londres. Il refusa de vendre ses esclaves, expliquant qu'il était contre le commerce des êtres humains.

Durant sa présidence, il vécut avec sa femme et leurs enfants à Philadelphie avant de retourner à Mount Vernon deux ans avant sa mort le 12 décembre 1799. Il fut projeté de l'inhumer dans la crypte sous le Capitole, mais il avait précisé dans son testament qu'il voulait reposer à Mount Vernon. De part et d'autre de l'entrée du tombeau se dressent des obélisques de style égyptien.

Comme pour beaucoup d'autres Pères fondateurs de l'Amérique, on a beaucoup spéculé sur les opinions religieuses de Washington. Il assistait aux offices d'églises anglicanes et épiscopaliennes, comme l'Église du Christ d'Alexandria, en Virginie. Cependant, cela n'a pas empêché de spéculer qu'en privé ses opinions penchaient peut-être davantage pour le déisme, système qui rapproche la croyance en Dieu des lois de la nature. Ses tenants ne participant pas à certains sacrements de la religion organisée, des recherches ont été effectuées pour savoir s'il avait ou non communié.

Discutant cette question dans *La Foi des Pères fondateurs*, David Holmes cite l'évêque épiscopalien William White, qui déclara : « Le général Washington ne reçut jamais la communion dans les églises dont je suis ministre paroissial. » D'un autre côté, la petite-fille de Washington estimait qu'il avait reçu la communion avec son épouse Martha. Il est bien sûr possible que ces deux thèses soient exactes, et que ses croyances et son assiduité religieuse aient changé au cours de sa vie ; mais étant donné le rôle central que Washington joue dans l'histoire de l'Amérique, le sujet de sa foi reste l'objet de vifs débats.

Le mémorial monumental érigé à Washington DC en hommage à ce grand homme est en granit, recouvert de marbre du Maryland. Il mesure 555 pieds (170 mètres) de haut, rappelant les dimensions des monuments érigés en l'honneur des plus puissants pharaons de l'Égypte ancienne. Le Washington Monument a la forme d'un obélisque, symbole fier qui se dresse vers le ciel. Des cérémonies maçonniques accompagnèrent la pose de sa première pierre en 1848, comme décrit dans l'article correspondant de ce livre.

Washington fut également associé à la franc-maçonnerie, ayant été initié à la Loge de Fredericksburg en Virginie comme apprenti le 4 novembre 1752. Il devint maître maçon le 4 août 1753 à l'âge de vingt et un ans. Washington était également membre de la Loge Alexandria n° 22 dont il était le grand maître à l'époque de son investiture à la présidence. Son entrée précoce en maçonnerie jusqu'à sa participation en grande tenue d'apparat maçonnique à des événements publics, comme la pose de la première pierre du Capitole, montrent clairement que la franc-maçonnerie fut une partie importante et durable de sa vie.

Certains indices laissent à penser que nombre des grands hommes associés à la Révolution américaine, dont George Washington, Benjamin Franklin, John Paul Jones et Paul Revere, étaient des francs-maçons, comme le marquis de Lafayette et nombre de généraux et officiers supérieurs. Parmi les signataires de la Déclaration d'indépendance, neuf en étaient membres et sept autres au moins étroitement liés.

Sur les 40 signataires de la Constitution, 9 étaient maçons, 13 l'étaient peut-être et 6 autres rejoignirent plus tard l'Ordre.

VOIR ÉGALEMENT : Mémorial maçonnique de Washington, Washington Monument.

ZOHAR

L'idée que des découvertes du XXe siècle dans le domaine de la physique comme la théorie des cordes aient pu être prédites dans des textes antiques paraît impossible ; pourtant, c'est ce que Peter Solomon affirme à sa sœur dans *Le Symbole perdu*. Il prétend que le remarquable texte qui recèle de telles prophéties est le *Zohar*.

Ce recueil de traditions mystiques juives est l'un des textes les plus importants de la kabbale. Son nom se traduit par « splendeur » ou « rayonnement ». Très probablement composé en Europe occidentale entre les XIIe et XIIIe siècles, le *Zohar* est, pour certains, la plus haute expression de l'imagination littéraire et mystique juive jamais écrite.

Dans *Guide du Zohar*, Arthur Green déclare ceci à propos du texte sacré :

> « Le *Zohar* est une œuvre d'imagination sacrée. Dire cela à son sujet ne revient en aucun cas à contester la vérité de ses visions ou à diminuer la profondeur religieuse de ses enseignements. Le Moyen Âge débordait d'imagination. Anges et démons, principautés et chambres célestes, échelons dans les âmes et trésors secrets de l'esprit qui ne pouvaient être vus que par les élus, domaines ésotériques infinis : tout cela se retrouve dans les écrits des auteurs juifs, chrétiens et arabes de l'époque médiévale. »

Il convient de noter que le *Zohar* n'est pas une entité à part entière, mais une série de livres. Dans certaines traductions modernes, il se compose de 23 tomes. Les débats font rage sur ses véritables origines et de répartissent aujourd'hui en deux camps : l'un, comme indiqué plus haut, pour qui le texte fut établi à l'époque médiévale et l'autre, avec des spécialistes comme Gershom Scholem, pour qui le texte a son origine vers le Ier ou le IIe siècles.

Ce qui impressionne Katherine Solomon dans le *Zohar*, ce sont ses descriptions du Dixième Sephiroth. Peter Solomon note que les Sephiroth peuvent être interprétées comme les dix dimensions de l'univers quantique – dans les faits : la théorie des cordes.

Le concept de Sephiroth est décrit dans le *Zohar*. Le mot signifie « énumérations » ; elles sont au nombre de dix, et c'est par elles que Dieu se révèle. Ces dix émanations sont des aspects spirituels différents de la divinité et, tracées sur le papier, elles forment l'Arbre de Vie traditionnel de la kabbale. Dieu, en tant que concept dans le *Zohar*, semble incarner les aspects mâle et femelle et a même un « équivalent » féminin : la Shekinah. Cette idée d'un féminin sacré a été largement explorée par Dan Brown dans le *Da Vinci Code*.

Robert Langdon et le doyen de la cathédrale nNationale de Washington discutent du symbole du cercle pointé dans *Le Symbole Perdu*. En lien avec le *Zohar*, le Kether, Sephiroth la plus élevée, est représenté avec ce symbole par les kabbalistes.

Le *Zohar* est un texte complexe et fouillé qui exige toute une vie pour être étudié en profondeur. Ses secrets et ses mystères commencent seulement à apparaître.

INDEX